INHALT

D1272683

Gruppenbild einer Musikerfamilie. Balthasar Denner zugeschrieben, Anfang des 18. Jahrhunderts. Die Identifizierung der Personen als Bach-Familie ist originell, jedoch vorerst recht zweifelhaft.

Die Bach-Söhne

rowohlts monographien
begründet von Kurt Kusenberg
herausgegeben von Wolfgang Müller
und Uwe Naumann

Die Bach-Söhne

Dargestellt von Martin Geck

Rowohlt Taschenbuch Verlag

Umschlagvorderseite: Wilhelm Friedemann Bach.
Ölbild von Georg Friedrich Weitsch, um 1760 (oben links);
Carl Philipp Emanuel Bach. Pastellbild von
Gottlieb Friedrich Bach (oben rechts); vermutlich Johann
Christoph Friedrich Bach. Ölbild von Georg David Matthieu,
um 1775 (unten links); Johann Christian Bach.
Ölbild von Thomas Gainsborough, um 1775 (unten rechts)

Umschlagrückseite: Handschrift der fis-Moll-Fantasie
«C. P. E. Bachs Empfindungen» von Carl Philipp Emanuel Bach, 1787
Gustaf Gründgens in der Titelrolle des Films «Friedemann Bach»
von Traugott Müller, 1941

Seite 3: Collegium musicum. Gouache eines unbekannten Künstlers,
um 1775. Stammbuchblatt aus Nürnberg. Die Abbildung gibt
zwei wesentliche aufführungspraktische Hinweise: Im 18. Jahrhundert wurde meist im Stehen musiziert und die einzelnen
Stimmen waren oft einfach besetzt. Allerdings unterschieden
sich die Verhältnisse von Ort zu Ort.

Originalausgabe
Veröffentlicht im Rowohlt Taschenbuch Verlag
GmbH, Reinbek bei Hamburg, Juni 2003
Copyright © 2003 by Rowohlt Taschenbuch Verlag
GmbH, Reinbek bei Hamburg
Umschlaggestaltung any.way, Hamburg
Redaktionsassistenz Katrin Finkemeier
Reihentypographie Daniel Sauthoff
Layout Gabriele Boekholt
Satz PE Proforma *und* Foundry Sans *PostScript,*
QuarkXPress 4.11
KCS GmbH, Buchholz/Hamburg
Druck & Bindung Clausen & Bosse, Leck
Printed in Germany
ISBN *3 499 50654 8*

Prolog
Zwei Mütter: Maria Barbara und Anna Magdalena

Dreiundzwanzig Jahre alt ist Maria Barbara Bach, als sie am 17. Oktober 1707 in Dornheim bei Arnstadt in den Stand der Ehe tritt. Ihr künftiger Gatte ist ein Verwandter zweiten Grades: der um ein halbes Jahr jüngere Vetter Johann Sebastian. Der Vater der Braut, Johann Michael Bach, hat bis zu seinem Tod im Jahre 1694 als angesehener Organist und tüchtiger Komponist im nahen Gehren gewirkt, die Mutter ist im Haus des dortigen Stadtschreibers auf die Welt gekommen. In jugendlichem Alter verwaist, begibt sich Maria Barbara mit zwei älteren Schwestern unter den Schutz ihres Vormunds und Verwandten Martin Feldmann, Bürgermeister in Arnstadt. Dort macht gerade Johann Sebastian von sich reden: als erstaunlich junger Orgelsachverständiger, als ungewohnt kecker Begleiter des Gemeindegesangs und als Hitzkopf, der seinen drei Jahre älteren Schüler Geyersbach als «Zippelfagottisten» beschimpft und den Degen zieht, als dieser ihm daraufhin mit einem Prügel auflauert.

Man mag Gefallen an der Vorstellung finden, dass Maria Barbara jene «fremde Jungfer» gewesen ist, die Bach zum Unwillen seiner Arnstädter Vorgesetzten hat «auf das Chor biethen und musiciren laßen»[1],

Porträt-Silhouetten sind erst seit etwa 1740 nachweisbar. Deshalb muss man die Auffassung der Bach-Forschung bezweifeln, hier sei Maria Barbara Bach dargestellt. Möglicherweise handelt es sich jedoch um Anna Magdalena Bach.

Die beiden
großen Söhne
der Maria
Barbara Bach:
Wilhelm Friede-
mann und
Carl Philipp
Emanuel.
Anonyme
Pastellbilder

doch das bleibt Spekulation. Wir kennen nur den Termin der
Eheschließung von Johann Sebastian und Maria Barbara. Bach
ist inzwischen Organist in Mühlhausen, wechselt aber schon
bald nach Weimar, wo er mit seiner Frau am 29. Dezember 1708
die Taufe der erstgeborenen Tochter Catharina Dorothea feiern
kann. 1710 wird Wilhelm Friedemann geboren, 1713 kommt
Maria Barbara mit Zwillingen nieder, die jedoch bald sterben.
Jeweils im Frühjahr 1714 und 1715 erblicken die Söhne Carl
Philipp Emanuel und Johann Gottfried Bernhard das Licht der
Welt.

Der 1718 geborene Leopold Augustus stirbt früh; doch stär-
ker wird Bach vom Tod seiner Frau getroffen worden sein,
die man am 7. Juli 1720 in Köthen zu Grabe trägt. Nach Angabe
des Nekrologs befindet sich der Gatte zu diesem Zeitpunkt
mit seinem Fürsten auf einer Badereise in Karlsbad. Bei aller Trauer steht das gesellschaftliche Leben für den Köthener

Kapellmeister nicht still. So übernimmt er im September 1721 auch das Patenamt beim Sohn des fürstlichen Kellerknechtes Christian Hahn; als weitere Patin fungiert die damals gerade zwanzigjährige «Jungfer Magdalena Wilckens, fürstl. Sängerin allhier.»[2]

Vermutlich hat Bach die Tochter des Weißenfelsischen Hoftrompeters Johann Caspar Wilcke selbst nach Köthen engagiert; jedenfalls wird der sechsunddreißigjährige Witwer die sechzehn Jahre Jüngere am 3. Dezember 1721 heiraten. Er gewinnt damit nicht nur eine zweite Mutter für vier unmündige Kinder, sondern auch eine professionelle Musikerin, die ihre Ausbildung vermutlich bei der bekannten Sängerin Christiane Pauline Kellner erhalten hat. Für Anna Magdalena bedeutet die Ehe einerseits eine Einschränkung ihrer künstlerischen Tätigkeit, andererseits deren Absicherung: Als ledige Frau ist eine Hofsängerin schutzlos, geradezu Freiwild für allerlei Interessen, außerdem von heute auf morgen kündbar. Es ist nicht Zufall, dass in dieser Zeit zumindest in Deutschland viele bedeutende Sängerinnen mit angesehenen Komponisten verheiratet sind – so auch die berühmte Faustina Bordoni-Hasse.

1723 siedelt die Familie Bach ins traditionsbewusste Leipzig über. Dort sind Kirchensängerinnen nicht erwünscht; Anna Magdalena hat ihren Mann jedoch auf Gastspielreisen nach Köthen und Weißenfels begleitet und bei dieser Gelegenheit sicherlich auch künstlerische Aufgaben wahrgenommen. Daheim betätigt sie sich als Notenkopistin, die ihre Schriftzüge denjenigen des Gatten derart angleicht, dass selbst ein Bach Kenner wie Philipp Spitta zeitweilig keine Unterschiede ausmachen konnte. Die bedeutendsten von Anna Magdalena gefertigten Abschriften sind die zwischen 1727 und 1731 entstandenen und vielleicht zum Verkauf bestimmten Kopien der Violin-Soli und der Cello-Soli. Auch an einer Abschrift des 1. Teils des «Wohltemperierten Klaviers», am so genannten Londoner Autograph des 2. Teils des «Wohltemperierten Klaviers» und an einer von Wilhelm Friedemann begonnenen Kopie der Orgelsonaten ist sie beteiligt. Neuerdings hat man Anna Magdalena als Schreiberin einiger von Bach unterzeichneter Schriftstücke aus der Leipziger Zeit zu identifizieren versucht. Was den Bach-Dokumenten zufolge aus einer «kalligraphischen Kanzlei» stammt, zeige oftmals ihre Hand. Hat Anna Magdalena ihrem Mann in dem unerquicklichen «Präfektenstreit» nicht nur als Lebenspartnerin, sondern ganz konkret auch als Schreiberin zur Seite gestanden?[3]

Im Jahre 1722, offenbar bald nach der Eheschließung, legt Bach seiner Gattin ein Notenbüchlein an, von dem nur noch ein Fragment mit Urschriften der «Französischen Suiten» BWV 812–816 und wenigen Einzelstücken erhalten ist. Möglicherweise hat er dieses erste Notenbüchlein bald aufgelöst und durch ein zweites ersetzt, das mit dem Jahr 1725 beginnt und bis in die vierziger Jahre fortgeführt wird. Das Repertoire der ersten Seiten gibt Bach mit Frühfassungen von Partiten aus der späteren «Clavier-Übung» vor, danach trägt Anna Magdalena einige kleinere Stücke ein, und später melden sich auch die Söhne Carl Philipp Emanuel, Johann Christoph Friedrich und Johann Christian mit Schrift- und Kompositionsproben zu Wort.

Der letzte Teil des Notenbüchleins ist im Wesentlichen mit Gesangskompositionen Bachs gefüllt, die überwiegend Anna Magdalena selbst für den eigenen Gebrauch notiert hat. Es finden sich die geistlichen Lieder «Warum betrübst du dich», «Schaffs mit mir, Gott, nach deiner Güt», «Wie wohl ist mir, o Freund der Seelen, wenn ich in deiner Liebe ruh», «Gedenke loch mein Geist zurücke ans Grab und an den Glockenschall», «O Ewigkeit, du Donnerwort» , aber auch Rezitativ und Arie us einer Kirchenkantate: «Ich habe genung» / «Schlummert •in, ihr matten Augen». Der auch im Schemelli-Gesangbuch nthaltene Choral «Dir dir, Jehova, will ich singen» ist in vier- timmiger Fassung von Johann Sebastian, in zweistimmiger Reduktion von Anna Magdalena mitgeteilt.

Die berühmte Aria di Giovannini «Willst du mein Herz mir schenken», von einer unbekannten, aber offenbar italie- nischsprachigen Person eingetragen, wird vorübergehend aus dem Büchlein herausgetrennt, dann aber wieder eingefügt. n dem durch seine Lebendigkeit beeindruckenden Gemein- schaftswerk zweier Generationen Bach steht Vokales neben nstrumentalem, Geistliches neben Weltlichem, Leichtes ne- ben Schwerem, Unbeholfenes neben Vollendetem, Ernstes neben Heiterem, Belehrendes neben Unterhaltendem, Frem- des neben Eigenem. Man kann kaum ein besseres Bild der Leip- ziger Familie Bach zeichnen als mit Hilfe dieses Büchleins, das zugleich viel über Anna Magdalena aussagt: Sie ist nicht nur Helferin ihres Mannes, sondern zugleich Musiklehrerin ihrer Kinder, Sängerin und Cembalistin.

Doch vor allem ist sie Mutter, denn ihre Hauptsorge muss ihren Kindern gelten, von denen sie vier aus der ersten Ehe ih- res Mannes übernimmt, insgesamt dreizehn selbst gebiert, dar- unter allein elf in den ersten dreizehn Ehejahren. Nur sechs ihrer Kinder überleben das früheste Kindesalter. Als Bach im Jahre 1750 stirbt, leben der 1724 geborene, geistig retardierte Gottfried Heinrich, der vierzehnjährige Johann Christian, die zwölfjährige Johanna Carolina und die achtjährige Regina Susanna noch bei der Mutter, zudem Catharina Dorothea, die 42 Jahre alte Tochter aus der ersten Ehe ihres Mannes.

Für ihre unmündigen Kinder übernimmt die inzwischen Neunundvierzigjährige die Vormundschaft; zuvor hat sie gegenüber dem Leipziger Rat erklären müssen, auf eine Wie- derverheiratung zu verzichten. Aus der Erbschaft bekommt sie ein Drittel sowie den Anteil der unmündigen Kinder. Da ihr das traditionelle «halbe Gnaden-Jahr» nur mit beträchtlichen Abzügen gewährt wird, sieht sie sich alsbald im Status einer «Almosenfrau».

Almosenfrau – das klingt in unseren Ohren härter, als es nach damaligem Sprachgebrauch gemeint war: Anna Magdalena erhält wie alle Witwer von städtischen Bediensteten eine – allerdings äußerst knappe – Alimentation, die als «Mischung von Witwenrente und Sozialhilfe» verstanden werden kann.[4] Berücksichtigt man die Vermögenswerte, die ihr direkt aus der Erbschaft oder indirekt aus dem Verkauf von Musikalien ihres Mannes bis hin zum Erstdruck der «Kunst der Fuge» zufließen, so mag sie die zehn Jahre, die sie ihren Mann überlebte, bei größter Sparsamkeit im Rahmen des Zeitüblichen einigermaßen würdig überstanden haben.

Briefentwürfe, die Bachs Verwandter Johann Elias Bach als Hauslehrer und Sekretär zwischen 1737 und 1742 angefertigt hat, informieren über einige Liebhabereien der Anna Magdalena. So erbittet Johann Elias von seiner Mutter in Schweinfurt «etliche Stücke NB gelbe Nelken vor unsere Frau Muhme, welche eine große Liebhaberin von der Gärtnerey ist»[5]. Ein befreundeter Kantor wird um einen Singvogel angegangen. Bach habe seiner Eheliebsten erzählt «daß Ew. WohlEdlen einen Hänfling besäßen, welcher durch die geschickte Anweisung seines LehrMeisters sich besonders

Die Bach-Söhne – Stichjahr 1750:
Im Sterbehaus Johann Sebastian Bachs hält sich von den vier Brüdern nur der vierzehnjährige Johann Christian auf. Er nimmt vermutlich an der drei Tage später stattfindenden Beerdigung teil, während die drei älteren Brüder zu diesem Zeitpunkt vielleicht noch nicht in Leipzig sind. Zumindest Johann Christoph Friedrich, damals Hofmusiker in Bückeburg, macht sich aber sehr bald auf den Weg; jedenfalls erscheint er am 6. August vor dem Leipziger Rat, um die Übernahme eines Cembalos zu bestätigen, das ihm der Vater schon zu Lebzeiten überlassen hat. Von Wilhelm Friedemann vermelden die Akten, dass er sich in der zweiten Jahreshälfte mehrere Monate lang in Leipzig aufhält, ohne um Urlaub von seinem Organistendienst in Halle gebeten zu haben; das trägt ihm eine Rüge ein. Im November 1750 vertritt er Carl Philipp Emanuel, damals Cembalist am Hof Friedrichs des Großen, bei der offiziellen Erbauseinandersetzung in Leipzig. Danach bringt er Johann Christian nach Berlin, wo dieser bei Carl Philipp Emanuel Aufnahme findet.

m Singen hören ließe; Weil nun meine Fr. Muhme eine große reundin von dergleichen Vögeln sind, so habe mich hier-durch erkundigen sollen, ob Ew. WohlEdlen diesen Sänger ge-;en billige Bezahlung an Sie zu überlaßen u. durch sichere Ge-egenh. zu übersenden etwa möchten gesonnen seyn.»[6] Einen n ihrem «geliebten Weißenfels» vorgesehenen Besuch im September 1741 muss sie wegen «bißherigem u. fortwähren-dem kräncklichen Zustand» absagen.[7] Einen Monat zuvor hat-e die Familie wegen «zunehmender Schwachheit unserer Hochwerthesten Fr Mamma» den Gatten dringlich von einem Besuch in Berlin zurückgerufen.

Viel mehr wissen wir über das Leben von Anna Magdalena nicht. Der 1923 zunächst in englischer Sprache und dann n vielen Übersetzungen erschienene Bestseller «Die kleine Chronik der Anna Magdalena Bach» vermag zwar naiven Le-sern zu suggerieren, hier berichte die Gattin authentisch aus

Szene aus dem Spielfilm «Chronik der Anna Magdalena Bach» von Jean-Marie Straub und Danièle Huillet mit Christiane Lang in der Titelrolle, 1967

dem Leben ihres Mannes; in Wahrheit aber zeichnet die anonym bleibende Autorin Esther Meynell ein mit originalem Material durchsetztes Phantasiebild. Auf künstlerisch hohem Niveau bewegt sich der im Rückgriff auf Meynells Buch ge schaffene Spielfilm von Jean-Marie Straub und Danièle Huillet «Chronik der Anna Magdalena Bach». Die 1967 entstandene Arbeit zählt nur vordergründig zum Genre des Historienfilms da der erzählerische Anteil gering ist und in langen Passagen nur musiziert wird. Zudem sind zwei Hauptrollen mit bedeu tenden Musikern unserer Gegenwart besetzt: Johann Sebas tian Bach wird von Gustav Leonhardt, Fürst Leopold von Anhalt-Köthen von Nicolaus Harnoncourt dargestellt. Ge meinsam mit August Wenzinger präsentieren sie ihre Inter pretationen der Bach'schen Musik in zeitgenössischen Roben an authentischen Schauplätzen und mittels historischer In strumente, jedoch zugleich nach ihrer persönlichen Auffas sung; das verdeutlicht auf raffinierte Weise die Widersprüch lichkeit jedweder historischer Rekonstruktion.

Das schwierige Genie:
Wilhelm Friedemann Bach

Möglicherweise ist der am 22. November 1710 geborene Wilhelm Friedemann der Liebling des Vaters gewesen; vielleicht stützt sich dieser Eindruck aber auch nur auf Hilfestellungen, die im Fall des Ältesten reichlicher überliefert sind als im Fall seiner jüngeren Brüder. Dem Neunjährigen richtet Bach am 22. Januar 1720 ein «Clavier-Büchlein» ein, das bei aller Diskontinuität der Niederschrift einen klaren didaktischen Grundzug zeigt; und dabei geht es nicht nur um Klavierdidaktik, sondern ebenso um anspruchsvolle Kompositionslehre. Zwar spiegeln einige Partien des ersten Teils elementaren Musik- und Klavierunterricht: Das Büchlein enthält Beispiele für Notenschrift, Fingersatz, Verzierung, sodann leichte Aussetzungen der gewiss auch textlich mit Bedacht gewählten Choräle «Wer nur den lieben Gott läßt walten» sowie «Jesu, meine Freude»; es teilt ferner die neun kleinen Präludien BWV 924 bis 932 sowie einige Suiten und Tanzsätze moderner Komponisten mit. Sein Hauptgewicht erhält der Band jedoch durch frühe, von Wilhelm Friedemann zum Teil nur unvollständig kopierte Fassungen von Präludien aus dem «Wohltemperierten Klavier I», ferner durch die hier noch «Praeambula» genannten zweistimmigen Inventionen und die dreistimmigen Sinfonien. An den letztgenannten Werken ist erkennbar, dass Bachs bedeutende Köthener Klavierzyklen im unmittelbaren Kontext seiner eigenen Unterrichtstätigkeit zu sehen sind; in umgekehrter Blickrichtung wird deutlich, wie gründlich Bach den Ältesten in die musikalische Kunst einführen will.

Dieser steuert zu dem bis etwa 1725/26 fortgeführten Büchlein mit zwei Allemanden und drei Präludien eigene Kompositionsversuche bei. 1724 bis 1726 ist Wilhelm Friedemann als Kopist von Kantaten seines Vaters nachweisbar. Als etwa Sechzehnjähriger wird er zur Vervollkommnung seines Violinspiels zu Johann Gottlieb Graun nach Merseburg geschickt. Vielleicht in die Zeit danach fallen Reisen nach Dresden, die Vater und Sohn unternehmen, um die «schönen Dresdener Liederchen» der Hofoper zu hören, wie der Vater sie genannt haben soll.[8] Zwischen 1727 bis 1733 scheint sich Wilhelm Friedemann auf eine Karriere als Orgelvirtuose vorbereitet zu haben. Die Mitteilung Johann Nicolaus Forkels, Johann Sebastian Bach habe zu einer entsprechenden Ausbildung seine sechs Orgelsonaten BWV 525–530 beigesteuert, mag einen wahren Kern haben. Immerhin ist er 1730 bereits so weit fortgeschritten, dass er den Unterricht des später selbst als Klaviervirtuose gerühmten Christoph Nichelmann übernehmen kann.

Indessen wünscht der Vater dem Ältesten auch jene akademische Bildung, die ihm selbst versagt geblieben ist. Noch im Jahr seines Amtsantritts in Leipzig lässt er den Dreizehnjährigen bei der Universität vormerken. Doch zunächst besucht Wilhelm Friedemann als Externer die Thomasschule; und durch einige beim Abbruch des alten Schulgebäudes in

er Tapetenfütterung gefundene Schulhefte ist dokumentiert, wie er sich mit der Übersetzung lateinischer Sprichwörter ergnügt oder herumschlägt. Da wird aus «Sui nihil cum amaicino» in deutscher Übersetzung «Die Sau hat lieber Koth als ʼalsam» usw. usw. Ab 1729 besucht Wilhelm Friedemann lann Vorlesungen in Jura, Philosophie und Mathematik an der Jniversität seiner Heimatstadt.

Ein Probespiel in Halberstadt im Jahr 1731 bleibt ohne Erolg, jedoch führt zwei Jahre darauf eine Bewerbung um das Organistenamt an der Dresdner Sophienkirche zur ersten Anstellung. Der Vater setzt eigenhändig zwei Bittschreiben auf, chlägt dabei einen für seine eigene Person ungewohnt devoen Ton an, unterzeichnet sie freilich auch mit dem Namen des Sohns. Dieser dürfte die Stelle jedoch vor allem aufgrund seines Könnens erhalten haben: «Nach aller Musicorum Auspruch und judicio» ist er der «beste und geschickteste».[9]

Hat zu seinem Erfolg das feurige Präludium und Fuge G-Dur BWV 541 beigetragen, das Vater Bach in dieser Zeit noch

Zwei Seiten aus einem zufällig beim Abbruch der einstigen Thomasschule gefundenen Schulheft von Wilhelm Friedemann Bach

17

Ein «Heilig» von Wilhelm Friedemann Bach im Autograph.
Das Werk stammt aus der frühen Zeit in Halle und zeigt den
Komponisten noch ganz in den Spuren seines Vaters.
Das «I.N.J.» über der Partitur bedeutet: «In Nomine Jesu».

einmal auf das Schönste abschreibt – auf einem Papier, dessen
Wasserzeichen dem der beiden Bewerbungsschreiben ähnelt?
Jedenfalls bleiben die Beziehungen zwischen Vater und Sohn
eng. Eine Notenhandschrift, die kürzlich zusammen mit der
Notenbibliothek der Berliner Singakademie aus ukrainischem
«Exil» wieder nach Deutschland zurückgekehrt ist, macht
deutlich, dass die beiden in den Jahren zwischen 1736 und
1739 zu gemeinsamen Kontrapunktstudien zusammentreffen
und einen streckenweise durchaus gleichberechtigten Dialog
über Fragen des strengen Satzes pflegen.[10]

Wilhelm Friedemann ist in seiner dürftig bezahlten
Dresdner Stelle nicht ausgelastet. Er nimmt Klavierschüler an,
tut sich in der Hofmusik um und bildet sich bei dem späteren
Hofmathematiker Gottlieb Waltz weiter. Zugleich gelingen
die ersten kompositorischen Würfe: die Cembalokonzerte in

-Moll und D-Dur, vielleicht das Doppelkonzert für zwei Cembali Es-Dur, jedenfalls Sinfonien für Streichorchester, Triosonaten und einige Cembalosonaten. Von den Letzteren wird diejenige in D-Dur im Jahre 1745 verlegt; das Verkaufsecho ist freilich zu gering, als dass eine Fortsetzung lohnend erscheint.

Zwischenzeitlich bewirbt sich Wilhelm Friedemann erfolglos an die Dresdner Frauenkirche, dafür glückt im Frühjahr 1746 der Sprung an die St. Marienkirche in Halle. Dorthin war 32 Jahre zuvor Johann Sebastian von Weimar aus berufen worden, hatte jedoch zum Ärger der Kirchenältesten sein Amt nicht angetreten. Der Sohn gilt inzwischen als exzellenter Orgelspieler, den ohne Probespiel anzustellen kein Risiko bedeutet. In Halle erwarten ihn allerdings mehr als die typischen Aufgaben eines mitteldeutschen Organisten, welcher an Sonn- und Festtagen, außerdem in Nebengottesdiensten und bei Trauungen die große Orgel zu schlagen hat. Da die Stellung des Organisten gegenüber der des Kantors in Halle traditionsgemäß sehr stark ist, wird Bach de facto als «Director musices» eingestellt, welcher zu wesentlichen Anteilen auch für die groß besetzte vokal-instrumentale Kirchenmusik verantwortlich ist.

Wie sein Vater in Leipzig muss Bach seine Texte der kirchlichen Obrigkeit vorlegen, die in Halle dem Pietismus Francke'scher Prägung zuneigt. Im Arbeitskontrakt wird außerdem ausdrücklich festgehalten, dass er die Gesänge der Gemeinde «langsam ohne sonderbahres coloriren» zu begleiten und sich eigenwilliger Registrierungen sowie rhythmischer Besonderheiten zu enthalten habe. Ob der Vater, dem einstens ein Vertrag gleichen Wortlauts zur Unterzeichnung vorgelegt worden war, sich bei der Durchsicht schmunzelnd erinnert hat, dass er selbst als junger Organist in Arnstadt im Jahre 1706 beschuldigt wurde, die Gemeinde durch «wunderliche variationes» und «viele frembde Thone» beträchtlich «confundiret» zu haben?[11]

Für Wilhelm Friedemann Bach beginnt eine anstrengende Zeit. Während er den Organistendienst aus dem Ärmel geschüttelt haben wird, ist die Aufführung der Vokalmusik mit viel Aufwand verbunden. Da das Musizieren nach gedruckten Noten noch kaum üblich ist, hat er viele Stücke nicht nur einzustudieren, sondern auch selbst zu komponieren oder zumindest nach vorliegendem handschriftlichem Notenmaterial für die jeweilige Darbietung einzurichten.

Das Antrittsstück «Wer mich liebet», aufgeführt am ersten Pfingsttag 1746, ist eine repräsentative Kantate ganz nach dem Vorbild des Vaters mit einem prächtigen Eingangschor und einer virtuosen Arie für Bass und obligate Orgel. Die etwa zwei Dutzend erhaltenen Kantaten, Chorsätze und Kurzmessen, welche auf uns gekommen sind, dürften sämtlich aus der Zeit in Halle stammen, wo Wilhelm Friedemann natürlich auch Werke anderer Komponisten aufführt. Allein Kantaten des Vaters werden zu Dutzenden erklungen sein – gelegentlich textlich und musikalisch bearbeitet [12]; Johann Sebastian Bach lässt seinerseits gelegentlich Kantaten des Sohnes in Leipzig hören. Dort erklingt zum Beispiel am 30. November 1749 eine Adventskantate – möglicherweise als Versuch, den Ältesten doch noch für die Nachfolge des Vaters ins Spiel zu bringen, obwohl bereits eine Vorentscheidung zugunsten Gottlob Harrers stattgefunden hat.

Auch als Virtuose tritt Wilhelm Friedemann bisweilen in Leipzig auf. Johann Friedrich Wilhelm Sonnenkalb berichtet aus seiner Zeit als Thomasschüler, er habe in den fünfziger Jahren «den Hrn. Bach in Halle [...] nicht allein privatim, sondern auch einigemahl publice in dem großen Concert, in den sogenannten drey Schwanen in Leipzig mit gar ungemeinen Beyfall aller vernünftigen Musicorum spielen hören» [13].

Wo es Konflikte mit der Hallenser Kirchenbehörde gibt, geht es nicht um die Qualität der Musik, sondern um Streit mit dem Kantor, den Wilhelm Friedemann der Veruntreuung von Kollektengeldern beschuldigt, um ungenehmigte Reisen, um das unerlaubte Verleihen von Pauken et cetera et cetera. Die vom Geniezeitalter geprägte Folgegeneration, geradezu süchtig nach «Legenden einiger Musikheiliger» [14], hat solche Vorkommnisse gewaltig aufgebauscht, Bach gar zu einem genialischen Trunkenbold und Sonderling machen wollen. Dabei

Wilhelm Friedemann Bach. Ölbild, Georg Friedrich
Weitsch zugeschrieben, um 1760. Der Jugendfreund
Jacob von Stählin erinnerte sich im Alter, der älteste
Bach-Sohn habe schon früh «den etwas affektierten
Elegant herausgekehrt».

dürfte er mindestens in Halle noch einem weitgehend geregel-
ten Lebenswandel nachgekommen sein. 1751 heiratet er die
damals vermutlich einundzwanzigjährige Dorothea Elisabeth
Georgi, Tochter eines wohlhabenden Steuereinnehmers, und
zeugt drei Kinder, von denen nur das jüngste, die Tochter Friederica Sophia, ein höheres Alter erreicht. Auffällig ist die Zahl
adeliger und hoch gestellter Paten: Man hat den Eindruck, dass

Wilhelm Friedemann Bach zur großen Welt zählen möchte
und dort tatsächlich auf Anerkennung stößt.

Trotz einiger Freunde und Schüler zieht es ihn von Halle
fort. 1753 bewirbt er sich, ebenso vergeblich wie sein Bruder
Carl Philipp Emanuel und sein Schwager Johann Christoph
Altnickol, um eine freilich nicht sehr attraktive Organisten
stelle in Zittau; 1758 und 1759 interessiert er sich für ein Ka
pellmeisteramt in Frankfurt am Main. Wenige Jahre später ist
er Favorit bei der Neubesetzung der Hofkapellmeisterstelle am
Darmstädter Hof, lässt jedoch der nominellen Ernennung aus
fadenscheinig oder vorgeschoben klingenden Gründen keinen
Umzug nach Darmstadt folgen. Stattdessen bittet er, von sei
nem Kirchenvorstand wiederholt hart gerügt, im Mai 1764 in
Halle ohne berufliche Alternative um seine Entlassung und
stellt augenblicklich seine Tätigkeit ein.

Dass bei der nunmehr anberaumten Inventur ein Fiedel
bogen, eine Flöte, ein Zink, eine Posaune und einige Saiten feh
len, während sich die Zahl der Trompeten um eine vermehrt
hat, führt zu neuerlichem Hader. Es könnte das unglückliche
Zusammentreffen einer besonders kleinlichen Behörde mit ei
nem vielleicht überdurchschnittlich dünnhäutigen Künstler
gewesen sein, welches zu diesem für die Zeit zwar spektaku
lären, jedoch sicher auch nicht einmaligen Abbruch des Dienst
verhältnisses geführt hat. Aus heutiger Sicht muss Wilhelm
Friedemann Bach, wenn er seine Verpflichtungen einigerma
ßen ernst genommen hat, unter beachtlicher Arbeitsbelastung
gelitten haben. Davon hat er sich nun befreit; von den ansons
ten nachteiligen Folgen seines aus Wut, Resignation oder Über
druss gespeisten Schrittes wird er sich allerdings nicht mehr
erholen.

Sind seine offenkundigen Widerstände gegen feste Anstel
lungen bloß als persönliche Schwäche einzuschätzen? Man
denkt an den Vater, der in puncto Berufszufriedenheit keines
wegs ein ideales Vorbild abgegeben und seine letzten Lebens
jahre geradezu in einem «selbstverordneten Quasi-Ruhestand»
verbracht hat.[15] Am Horizont erscheint auch das Lebens
schicksal des fünf Jahre jüngeren Bruders Johann Gottfried

Bernhard, der es in seinen bescheidenen, vom Vater vermittelten Organistenämtern gleichfalls nicht aushält, Schulden macht und früh stirbt; Johann Sebastian Bach bezeichnet ihn als «leider mißrathen»[16]. Das allerdings will sich der Älteste nicht nachsagen lassen, und so wartet er den Tod des Vaters ab, ehe er auf Würde und Bürde eines Amtes verzichtet.

Zwar kandidiert er im Jahre 1768 noch einmal um seine alte Stelle, nachdem seine beiden Nachfolger jeweils kurz nach Amtsantritt gestorben sind. Da der Bewerbung kein Erfolg beschieden ist, verkauft er jedoch im Jahre 1770 ein seiner Frau gehörendes Grundstück, um nach Braunschweig überzusiedeln und sich dort im Frühjahr 1771 einer Organistenprobe zu unterziehen. Von den vier Bewerbern wird verlangt, einen Choral ohne viele Verzierungen zu spielen, ihn zu transponieren und zu präludieren, freie Orgelliteratur von sich und anderen vorzutragen und eine Fuge zu schreiben. Wilhelm Friedemann Bach besteht zwar glänzend und ist überhaupt der Einzige, welcher den Choral transponieren kann. Doch letztlich wird ein Anfänger dem inzwischen Sechzigjährigen vorgezogen. Diesem bleiben nur die Wertschätzung der Kenner und die dürftigen Einnahmen durch Privatstunden und gelegentliche Konzerte.

1773 weilt Wilhelm Friedemann zu einem Besuch in Göttingen, berät Johann Nicolaus Forkel bei der Abfassung einer Biographie des Vaters, überlässt ihm ein handschriftliches Exemplar der «Chromatischen Phantasie» und spielt auf der Orgel der Universitätskirche. Dem zur gleichen Zeit in Göttingen weilenden Musikverleger und -ästhetiker Carl Friedrich Cramer schreibt er den Anfang einer BACH-Fuge ins Album. Im Jahr darauf wendet er sich nach Berlin und gibt dort im Lauf der Zeit einige wenige, jedoch viel beachtete und hoch gelobte Orgelkonzerte, von denen sechs in Berliner Zeitungen dokumentiert sind.[17]

Anlässlich zweier Konzerte am 15. Mai 1774 – vormittags in der St. Nicolaikirche, nachmittags in der Marienkirche – heißt es in den «Berlinischen Nachrichten»: «Alles was die Empfindung berauscht, Neuheit der Gedanken, frappante

23

Ausweichungen, dissonirende Sätze, die endlich in einer Grau nischen Harmonie starben – Force, Delicatesse, kurz dieses alles vereinigte sich unter der Fingern dieses Meisters Freuden und Schmerzen in die Seelen seiner fei nern Versammlung über zutragen.» [18]

Das Berliner Orgelkonzert Wilhelm Friedemann Bachs am 10. Juni 1774 ist der «Spenerschen Zeitung» ein Huldigungsgedicht wert. Wirkt manche Formulierung auch reichlich metaphorisch, so zeugt der Tenor doch von einer Musikbegeisterung, der eine Tageszeitung heute kaum noch Raum geben würde:

Die Orgel.
An Herrn Wilhelm Friedemann Bach.
Wer eingeweyht, Gefühl und Ohr zu
    werden,
O Bach, in Deinen Tönen schwimmt:
Sieht unter sich den Tand der Erden,
Den Ruhm, der sich im Staube
    krümmt.
Vom Fluge Deiner Tonkunst fort-
    getragen,
Rauscht unter ihm der Ocean,
Ein Tropfen, – und den Sonnen-
    wagen
Sieht er für einen Funken an …

Nach: Bitter, Bd. 2, S. 227

Vermutlich hat Wilhelm Friedemann Bach auch vor Friedrich dem Großen gespielt. Jedenfalls berichtet der damalige österreichische Gesandte am preußischen Hof, Gottfried van Swieten, unter dem 26. Juli 1774 von einer Unterredung mit dem König: «Unter anderem hat er über Musik mit mir gesprochen und mir von einem Organisten namens Bach erzählt, der gerade in Berlin gewesen war. Dieser Künstler verfügt über größere Begabung bezüglich der Kenntnis der Harmonie und der Kraft der Ausführung, als ich jemals gehört habe oder mir vorstellen konnte; aber diejenigen, welche seinen Vater gekannt hatten, erachteten ihn diesem noch nicht als ebenbürtig, und auch der König ist dieser Ansicht. Als Beweis sang er das Subjekt einer chromatischen Fuge, welches er dem alten Bach [als Thema zum «Musikalischen Opfer»] gegeben hatte.» [19]

Als «unstreitig der größte Organist der Welt», wie ihn sein Zeitgenosse Christian Friedrich Daniel Schubart nennt [20], hätte Wilhelm Friedemann in Berlin vermutlich mehr Schülerinnen und Schüler finden können als einzelne auserwählte wie Sara Itzig-Levy, eine Großtante von Felix Mendelssohn Bartholdy. Doch kommt er mit dem Alltag des Unterrichtens nicht mehr zurecht. 1779 scheitert auch der Versuch, eine Organistenstelle an der Berliner Marienkirche zu erhalten: In einem entschuldigenden Schreiben an den Kronprinzen Friedrich Wilhelm erklärt der Berliner Magistrat, dass er den Bach-Sohn wegen unbestrittener künstlerischer Fähigkeiten zwar selbst in Aussicht genommen, jedoch einen Sinneswandel vollzogen habe, nachdem ihm sein «sonderbares Betragen, unanständiger Wandel, und sein, in Amts-Verrichtungen sonst bewiesener Eigensinn, weshalb er auch, die gehabte Organisten-Stellen, in Dresden und Halle, nicht behalten können», bekannt geworden seien.[21]

Die ausführliche Stellungnahme ist notwendig geworden, nachdem sich der Kronprinz für Wilhelm Friedemann stark gemacht hat: Es gibt nun einmal am Berliner Hof ein Faible für den Namen «Bach». Dieses teilt nicht zuletzt die Schwester von Friedrich dem Großen, Anna Amalia. Sie ist eine tüchtige Cembalistin und Organistin, vor allem aber eine Liebhaberin des strengen Satzes. 1758 hat sie den Bach-Schüler und Kontrapunktiker Johann Philipp Kirnberger als Lehrer und Berater eingestellt, und so ist es verständlich, dass auch Wilhelm Friedemann Bach ihr Wohlwollen genießt, als er nach Berlin zieht. Laut Kirnberger beschenkt sie ihn «mit einem silbernen Kaffee- und Milchkännchen, wobey auch eine silberne Zucker-Dose war, nach der Zeit etliches an Gelde, jedesmahl 30 Rthlr»[22]. Der Bach-Sohn widmet ihr seinerseits acht Klavierfugen.

In Kirnbergers Bericht aus dem Jahr 1779 heißt es weiter, inzwischen sei Wilhelm Friedemann bei Anna Amalia in Ungnade gefallen, da er gegen Kirnberger intrigiert und sich an seine Stelle zu setzen versucht habe. «Folglich geht es ihm jetzt ganz erbärmlich, componiren wie auch Lection geben will er nicht, und sein Herr Bruder in Hamburg will auch von ihm nichts wissen, weil nichts bey ihm angewendet ist, wenn er ihm auch noch so viel schicken wollte.»[23] Merkwürdig nur, dass sich gerade im Jahr 1779 der Kronprinz für den Berliner Bach verwendet – da bleiben einige Fragen offen!

In den Zeiten ohne feste Anstellung bemüht sich Wilhelm Friedemann Bach wiederholt um die Drucklegung einzelner

Werke, doch weder die Anna Amalia gewidmeten Klavierfu
gen noch die angekündigten zwölf Polonaisen oder das Cem
balokonzert in e-Moll erscheinen tatsächlich. Auch eine «Ab
handlung vom Harmonischen Dreyklang» lässt sich trotz
zweimaliger Ankündigung nicht nachweisen. Handschriftlich
waren Sammlungen der Polonaisen wie auch diejenige der
acht Fugen bis zu Beginn des 19. Jahrhunderts weit verbreitet
Von einem Opernprojekt der letzten Jahre, *Lausus und Lydie*
haben sich kaum Spuren erhalten. Dem auf Schleck in Kur
land lebenden Baron Ulrich Georg von Behr darf der Kompo
nist in seinen letzten Lebensjahren für einhundert Dukaten
zwei Klavierfantasien aufsetzen, wobei er Teile älterer Wer
ke geschickt integriert.

Ersichtlich wird Bachs ältester Sohn in seinen letzten
Lebensjahren zu einer vielleicht nicht absonderlichen, jeden
falls aber unglücklichen Figur. Beim Verkauf der vom Vater
ererbten Noten-Unikate geht er zwar keineswegs so unverant
wortlich vor, wie es ihm die ältere Literatur unterstellt hat
indessen lassen seine beständigen Geldsorgen nur bedingt
weitsichtige Verkaufsstrategien zu. Demzufolge hat die mo
derne Bach-Forschung viel Mühe und Scharfsinn auf die
Rekonstruktion der verschlungenen Wege des Wilhelm-Frie
demann-Erbteils verwenden müssen, der gleichwohl zu erheb
lichen Anteilen verschollen ist.

Dass der Sohn ein Werk seines Vaters, das Orgelkonzert
nach Vivaldi BWV 596, auf dem autographen Titelblatt als sein
eigenes deklariert, andererseits einzelne seiner eigenen Vokal
kompositionen nachträglich als Werke des Vaters ausgibt, ist
ihm als notgeborene Unredlichkeit verübelt worden. Indessen
muss man wissen, dass es zwischen dem Vater und seinen Söh
nen und zwischen den ältesten Brüdern allerlei Gemein
schaftsarbeiten und absichtsvoll anmutende Fehlzuweisun
gen gegeben hat. Da nicht einmal feststeht, ob und wie Wil
helm Friedemann aus seinen «Fälschungen», die als solche
recht naiv anmuten würden, Vorteile ziehen wollte, lässt man
die ganze Angelegenheit besser in jenem Halbdunkel, in dem
die letzten Lebensjahre des Künstlers insgesamt liegen.

Spätes Berliner Bildnis von Wilhelm Friedemann Bach. Zeitgenössische Rötelzeichnung

Am 1. Juli 1784 stirbt Wilhelm Friedemann Bach in Berlin an einer Lungenkrankheit. «Deutschland hat an ihm seinen ersten Orgelspieler und die musikalische Welt überhaupt einen Mann verloren, dessen Verlust unersetzlich ist», so heißt es in einem Nachruf in Cramers «Magazin der Musik». Als im Jahr darauf in Berlin Händels «Messias» erklingt, lässt man den Erlös seiner verarmten Familie zukommen, aus der allein die Tochter Friederica Sophia das neue Jahrhundert erlebt.

Es hat viele Komponisten gegeben, deren Leben nicht glatt und allzeit untadelig verlaufen ist. In gewissem Sinne mag man schon Vater Bach zu ihnen zählen; jedenfalls gilt es für Händel, Mozart, Beethoven, Schumann, Wagner – für fast alle «Großen». Doch während sie das Glück haben, dass ihr Werk das Leben überstrahlt, erhält Wilhelm Friedemann Bach von der Geschichte die Rolle zugewiesen, vor allem an seiner Person das Schicksal eines Nachgeborenen vorzuführen – als Mischung aus Genialität und Décadence. Deutlich wird das in dem 1858 erschienenen Erfolgsroman «Friedemann Bach» von Albert Emil Brachvogel. Der damals durch sein Trauerspiel «Narziß» bereits bekannte Autor lässt in seiner farbigen trotz aller Phantastik kulturgeschichtlich nicht reizlosen Darstellung Wilhelm Friedemann erst bei den Zigeunern aufatmen, und das hat Symbolkraft: Denn der Titelheld scheitert in seinen Augen, weil es ihm an der altdeutsch protestantischen Glaubensfestigkeit und Manneszucht des Vaters fehlt. Übrigens ist Brachvogel textlich auch für das seinem Romanhelden zugeschriebene Lied «Kein Hälmlein wächst auf Erden» verantwortlich; die Musik stammt von Emil Bach.

In einem weiteren, 1964 erschienenen «Friedemann»-Roman hat Hans Franck ein historisch getreueres Bild Wilhelm Friedemanns zu zeichnen versucht und dabei das inzwischen bekannte biographische Material eingearbeitet. Das Endergebnis ist jedoch kaum weniger anfechtbar. Ähnliches gilt für eine Wilhelm Friedemann gewidmete Oper von Paul Graener aus dem Jahr 1931 und einen zehn Jahre jüngeren Spielfilm mit Gustaf Gründgens in der Hauptrolle. Dort spielt der Hauptakteur den Zigeunern Vater Bachs Solopartiten auf der Geige vor; und als er die Nase an die Fenster von Schloss Sanssouci drückt, kann er hören, wie sie drinnen Kanon und Gigue von Johann Pachelbel spielen! Am Ende wird er selbst zum Zigeuner: «Ich will nicht mehr Sohn sein, ich will Friedemann Bach sein, und sonst nichts. Das andere ist vorbei.»[24] Noch vor Kriegsende, nämlich 1944, wird das Thema ein weiteres Mal verfilmt. Diesmal spielt Wolfgang Liebeneiner die Hauptrolle.

Die erhaltenen Quellen sind wenig geeignet, Material für ein vorurteilsfreies Bild des ältesten Bach-Sohns zu liefern. Sie deuten zwar auf einen problematischen Charakter hin, doch das muss nicht besagen, dass Wilhelm Friedemann zeit seines Lebens unglücklich gewesen wäre: Gewiss ist er gern als Virtuose und Improvisator aufgetreten, sicherlich hat er viele glückliche Stunden mit seiner Musik verbracht, vermutlich ist er im Kreis von Freunden immer wieder aufgelebt, vielleicht hat ihn das Bewusstsein der eigenen Genialität über alltäg-

Gustaf Gründgens in der Titelrolle des Films «Friedemann
Bach» von 1941

liche Misserfolge gern hinwegsehen lassen. Einzuschätzen ist
dergleichen freilich ebenso schwer wie seine Leistung als
Komponist. Wilhelm Friedemann Bach hat weder die Noten-
manuskripte seines Vaters noch die eigenen zusammenhalten
können, und deshalb muss man seine kompositorische Kunst
anhand verhältnismäßig weniger Stücke und Werkreihen beurteilen.

Obwohl Bachs Ruf als Orgel-Improvisator unübertroffen
ist, klagt schon der Zeitgenosse Schubart, «daß seine Orgel-
kompositionen kostbarer und seltener als Gold sind» [25]. Erhalten und mit Sicherheit authentisch sind nur sieben traditiona-
listisch anmutende Choralvorspiele. Besser ist es um die Überlieferung der Klavierwerke bestellt. Während die Anna Amalia
gewidmeten acht Fugen vor allem die Fugenkunst des Vaters
verlängern, zeigt Wilhelm Friedemann in den zehn überliefer-
ten Fantasien beachtliche Originalität: Keine gleicht der anderen, alle sind voll überraschender Wendungen und «Betrü-

29

gereyen», wie man damals sagte. Es scheint dem Komponisten eine diebische Freude gemacht zu haben, auf knappstem Raum den Charakter der Musik vollkommen umschlagen, dies jedoch zugleich plausibel erscheinen zu lassen. Daneben gibt es Abschnitte «reiner Klangkomposition», die auf das 19. Jahrhundert vorausweisen.[26] «Nur Schade», so meint Forkel, «daß er mehr fantasirte und bloß in der Fantasie nach musikalischen Delicatessen grübelte, als schrieb.»[27]

Ähnlich individuelle Züge wie die Fantasien tragen die zwölf Polonaisen – keine harmlosen Tanzsätzchen, sondern empfindsame, fast schon romantisch anmutende Charakterstücke. Den Anfang der E-Dur-Polonaise zitiert der Bruder Carl Philipp Emanuel zwei Jahre nach Wilhelm Friedemanns Tod in seiner 1786 komponierten Klavierfantasie in B-Dur. Will man das als ein Tombeau verstehen[28], so könnte das Verhältnis beider Brüder in den letzten Lebensjahren nicht so schlecht gewesen sein, wie es Kirnberger darstellt. Oder aber Carl Philipp Emanuel sah es als seine Pflicht an, den Ältesten der Brüder wenigstens nach seinem Tod gebührend zu ehren.

Vor Wilhelm Friedemann Bach hatte bereits Johann Joachim Quantz, der Flötenlehrer Friedrichs des Großen, sechs Flötenduette herausgebracht – mit dem selbstbewussten Bemerken, dass sich den beiden Stimmen ohne Zwang keine dritte hinzufügen ließe. Das animierte Johann Philipp Kirnberger, während eines auch von Quantz besuchten Gottesdienstes eines dieser Duette auf zwei Manualen der Orgel zu spielen und dazu eine dritte Stimme im Pedal zu improvisieren. Die Folge war ein längerer musiktheoretischer Streit, in dessen Verlauf Kirnberger Wilhelm Friedemann Bach als den einzigen zeitgenössischen Komponisten herausstellte, der in dem diskutierten Genre tatsächlich einen perfekten zweistimmigen Satz zustande gebracht habe.

Die dreizehn erhaltenen und mit einiger Sicherheit authentischen Klaviersonaten zeigen ein sehr buntes Bild; einige der sechs Klavierkonzerte gehören, was Solopart und Orchestersatz betrifft, zu den anspruchsvollsten ihrer Zeit. Unter den etwa acht bekannten Sinfonien sticht die zweisätzige in d-Moll durch ihre Originalität heraus. Kabinettstückchen für sich sind die sechs Flötenduette, welche die kompromisslose Linearität von Johann Sebastian Bachs zweistimmigen Inventionen ins Empfindsame transformieren. Sie sind das Beste in diesem Genre zwischen Telemann und Friedrich Kuhlau.

Die rund zwanzig erhaltenen Kirchenkantaten und die wenigen Messensätze, welche aus einem ursprünglich gewiss weitaus größerem Bestand auf uns gekommen sind, sind in großem Maße traditionsverhaftet. Wilhelm Friedemann Bach bevorzugt nicht nur lang bewährte Kantatenlibretti, sondern greift auch auf ältere Kompositionen zurück – etwa auf Kantaten Georg Philipp Telemanns, die ihm als konkrete Muster für die eigenen dienen.[29] Das schließt eine gelegentlich galante Schreibweise zwar nicht aus; doch in den Eingangschören, überhaupt in der kontrapunktischen Schreibweise vieler Partien, zeigt sich fast überdeutlich das Erbe von Johann Sebastian, aus dessen Schatten Wilhelm Friedemann niemals gänzlich herausgetreten ist: Der Vater mag seine Augen allzu beharrlich auf ihn gerichtet haben – nicht nur zu Lebzeiten, sondern im Sinne eines Über-Ichs auch über seinen Tod hinaus.

Dass Wilhelm Friedemanns Leben einer Landkarte mit vielen weißen Flecken gleicht, teilt er mit dem Vater. Auch über dessen Leben ist so wenig bekannt, dass es den Anschein hat, er habe es gegenüber der Öffentlichkeit zwar nicht geradezu verbergen, aber auch nicht im Übermaß zu einem gradlinigen oder erfolgreichen hochstilisieren wollen. Folgerichtig gibt es keine Biographie von Johann Sebastian Bach in Johann Matthesons

Stehen uns noch unbekannte Werke von Vater Bach ins Haus? Ein Teil der Zukunftsvision, die Hermann Hesse in seinem Roman «Das Glasperlenspiel» entworfen hat, nimmt jedenfalls schon heute kenntliche Züge an: «Das Kulturwissen der Gelehrten flüchtete sich in die Forschungen und Lehrmethoden der Musikgeschichte, denn diese Wissenschaft kam eben damals in die Höhe, und mitten in der Feuilletonwelt züchteten zwei berühmt gewordene Seminare eine vorbildlich saubere und gewissenhafte Arbeitsmethode hoch. Und als wolle das Schicksal diesen Bemühungen einer winzig kleinen Kohorte tröstlich zunicken, geschah mitten in der trübsten Zeit jenes holde Wunder, an sich ein Zufall, aber wirkend wie eine göttliche Bestätigung: die Wiederauffindung der elf Manuskripte von Johann Sebastian Bach aus dem einstigen Besitz seines Sohnes Friedemann.»

Jubiläumsausgabe, Bd. 7, Frankfurt a. M. 1980, S. 23 f.

«Ehrenpforte» berühmter Musiker: Er hat sie trotz Aufforderung weder selbst schreiben wollen, noch Material dafür bereitgestellt.

Doch die Parallelen zwischen ihm und dem ältesten Sohn gehen weiter: Dass schon beim Vater Bach die Chronologie mancher Werkgruppen bis heute dunkel und die gesamte Werküberlieferung erstaunlich lückenhaft ist, lässt sich kaum nur aus den Zeitläuften erklären – warum sollten diese es mit den Zeitgenossen so viel besser gemeint haben: mit Händel, Telemann, Graupner, Fasch? Vielmehr scheint Johann Sebastian sein Schaffen vor allem als ein Work in progress angesehen und es – übertrieben formuliert – mehr in seinem Kopf gespeichert als in seiner Notenbibliothek aufbewahrt zu haben. Ist es für uns Heutige vorstellbar, dass er vermutlich nicht einmal von den «Brandenburgischen Konzerten» eine «Sicherheitskopie» hat anfertigen lassen, ehe er sie dem Widmungsträger übersandte? Solche Züge mögen sich beim Ältesten verschärft haben.

Vorbild seiner Zeit:
Carl Philipp Emanuel Bach

Carl Philipp Emanuel, der Zweitgeborene, hat es – in der Rückschau lässt sich dergleichen gefahrlos rekonstruieren – leichter gehabt: Auf ihm lastet weniger Erwartungsdruck, er kann sich im Windschatten von Wilhelm Friedemann entwickeln und hat außerdem den sonnigsten Paten, den man sich im Reich der Musik nur denken kann – Georg Philipp Telemann. Wie dieser, und zugleich ganz anders als der ältere Bruder, wird er einen langen und erfolgreichen Lebensweg gehen, sein Haus trefflich bestellen, für zwei Jahrzehnte die Kultur der Hansestadt Hamburg mitbestimmen und in demselben Zeitraum nicht nur in Norddeutschland, sondern in weiten Teilen Europas «der große Bach» sein, für die modernen Musikforscher außerdem derjenige, welcher das Schifflein der Musikgeschichte mit sicherer Hand von der alten Welt Bachs und Händels an die Ufer der neuen Welt Haydns und Beethovens gesteuert hat.

Am 8. März geboren und am 10. März 1714 in Weimar aus der Taufe gehoben, zieht Carl Philipp Emanuel mit der Familie zunächst nach Köthen und dann nach Leipzig. Als Thomasschüler leidet «er von klein auf, wie nicht wenige Knaben behenden Geistes und Körpers, an der Sucht, andere mutwillig zu necken» – so entsinnt sich jedenfalls Johann Friedrich Doles, nachmaliger Thomaskantor, an seinen einstigen Mitschüler.[30] Dieser selbst erinnert sich in einem autobiographischen Abriss aus dem Jahr 1773: *In der Komposition und im Clavierspielen habe ich nie einen anderen Lehrmeister gehabt, als meinen Vater.*[31] Dessen Unterricht beschreibt er im Detail: *In der Composition gieng er gleich an das Nützliche mit seinen Scholaren, mit Hinweglaßung aller der trockenen Arten von Contrapunkten [...]. Den Anfang musten seine Schüler mit der Erlernung des reinen 4stimmigen Generalbaßes machen. Hernach gieng er mit ihnen an*

Carl Philipp Emanuel Bach. Pastellbild von Gottlieb Friedrich Bach. Gottlieb Friedrich Bach, ein entfernter Verwandter Johann Sebastian Bachs, lebte als Hofmusiker und Maler in Meiningen, war mit Carl Philipp Emanuel gleichaltrig und dürfte ihn nach dem Leben porträtiert haben.

die Choräle; setzte erstlich selbst den Baß dazu, u. den Alt u. Tenor musten sie selbst erfinden. Alsdenn lehrte er sie selbst Bäße machen. Besonders drang er sehr starck auf das Aussetzen der Stimmen im General-Baße. Bey der Lehrart der Fugen fieng er mit ihnen die zweystimmigen an. [32]

Ein angehender Musiker hat freilich auch prosaische Arbeiten zu verrichten, nämlich Noten zu kopieren – vor allem, wenn die Zeit drängt. So hat Carl Philipp Emanuel Bach zum Beispiel alle Bläserstimmen zur Motette des Vaters «Der Geist hilft unser Schwachheit auf» kopiert, die zur Beisetzung des Thomasschulrektors Johann Heinrich Ernesti rasch komponiert und einstudiert werden musste. Wenige Jahre später ist er an einer Cembalofassung des von seinem Vater ursprünglich für Violine komponierten Konzerts in d-Moll BWV 1052 beteiligt. Möglich, dass diese Version in Johann Sebastians «Collegium musicum» erklingt, wo der Sohn jedenfalls erste Erfahrungen als Cembalist sammeln kann. 1731 sticht er seiıe erste Komposition eigenhändig in Kupfer: ein als «Menuett mit überschlagenden Händen» bekanntes Tanzsätzchen (Wq (11). Im gleichen Jahr beginnt er an der Universität Leipzig ein urastudium. Der nachmalige Historiker Jacob von Stählin erınnert sich, in dieser Zeit fast täglich mit ihm Umgang gehabt und zuweilen zugehört zu haben, wenn der Freund ein Solo ›der ein Konzert im genannten «Collegium musicum» spielte. ⊃er wegen seiner dunklen Haarfarbe und seines dunklen ℾeints «schwarzer Bach» genannte Studienkollege habe sich durch Natürlichkeit, Tiefe und Nachdenklichkeit ausgezeichnet und sei ein lustiger Gesellschafter gewesen. [33]

Zwei Jahre später bewirbt sich der Neunzehnjährige um das Organistenamt an der Wenzelskirche in Naumburg – allerdings vergeblich. 1734 wechselt er an die juristische Fakultät der Universität in Frankfurt/Oder, wo er zugleich als Klavierlehrer und Leiter «aller damals vorfallenden öffentlichen Musiken bei Feyerlichkeiten» tätig ist. [34] *Frankfurt, laß in vollen Chören* und *Entdeckt durch tausend frohe Töne* – so lauten die Textanfänge von zwei Huldigungskantaten, die Bach anlässlich königlicher Besuche in der Universitätsstadt erklingen lässt. Vermutlich führt er mit seinem eigenen «Collegium musicum» auch Werke seines Vaters auf, zum Beispiel das Violin-Doppelkonzert BWV 1043, das 5. Brandenburgische Konzert, das Cembalo-Konzert in d-Moll BWV 1052a, die Orchester-Ouvertüre D-Dur BWV 1068 und die Kaffeekantate BWV 211. Für die Frankfurter Unterkirche komponiert er anlässlich ihrer Einweihung das zweiteilige Adventsoratorium *Ich freue mich des, das mir geredet ist.*

Im Jahre 1738 geht Carl Philipp Emanuel nach Berlin, um einen jungen Adeligen als Hofmeister auf seiner Kavaliersreise zu begleiten. Jedoch bewirkt *ein unvermutheter gnädiger Ruf zum damaligen Kronprinzen von Preussen, jetzigen König, nach Ruppin, dass meine vorhabende Reise rückgängig wurde* [35]. Nach der Thronbesteigung Friedrichs des Großen definitiv in Dienst gestellt, hat er *die Gnade, das erste Flötensolo, was Sie als König spielten, in Charlottenburg mit dem Flügel [Cembalo] ganz allein zu begleiten* [36]. Fast drei Jahrzehnte lang wird er als Mitglied der Hof-

Adolph Menzels «Flötenkonzert in Sanssouci» (1852) mit Carl Philipp Emanuel Bach am Cembalo. Nur vordergründig schwelgt das Gemälde in nostalgischer Verehrung des Königs, und kaum zufällig findet es am preußischen Hof, wo es der Maler in den Jahren nach der 48er Revolution anbietet, keine Käufer. Denn allzu bescheiden wirkt die Position des großen Friedrich, der von seinem musikalischen Lehrer Johann Joachim Quantz am linken Bildrand recht nachdenklich abgehört wird. Für den »Realisten« Menzel, einen Sympathisanten der 48er Bewegung, ist von der versunkenen Ära nur eines lebendig geblieben – die Musik. Er «komponiert» sie atmosphärisch als Lichtspiegelung.

kapelle in Berlin und Potsdam tätig sein. Dass Friedrich der Große seinen Cembalisten besonders wertgeschätzt hat, ist zu bezweifeln. Nicht undenkbar, dass er in all den Jahren nur einmal ein persönliches Wort an ihn gerichtet hat: im Mai 1747 als Vater Bach am Potsdamer Hof auftaucht und über ein vom König gegebenes Thema improvisiert. Als musikalische Vertrauensperson betrachtet der Königs jedenfalls seinen Flötenlehrer Johann Joachim Quantz; nach diesem rangierten die Gebrüder Graun als Kapell- und Konzertmeister.

Gleichwohl darf sich Carl Philipp Emanuel Bach an einem zentralen Schauplatz deutscher Musikkultur fühlen. 1773 schreibt er in der Rückschau auf zurückliegende Jahre: *Vor* llem dem, was besonders in Berlin und Dresden zu hören war, brauche ich nicht viele Worte zu machen; wer kennt den Zeitpunkt nicht, in welchem mit der Musik sowohl überhaupt als besonders mit der accuratesten feinsten Ausführung derselben, eine neue Periode sich gleichsam anfieng, wodurch die Tonkunst zu einer solchen Höhe stieg, wovon ich nach meiner Empfindung befürchte, dass sie gewissermassen schon viel verlohren habe.[37] Das bezieht sich vermutlich weniger auf einen bestimmten Stil als auf ein neues Niveau an Erlesenheit und Virtuosität der Darbietung. Es ist kein Zufall, dass in der von Carl Philipp Emanuel charakterisierten Epoche eine Reihe von Lehrwerken erscheint, in denen nicht die Kunst der Komposition, sondern diejenige einer technisch perfekten und zugleich durchdachten Darbietung im Mittelpunkt steht.

Mit 300 Talern bezieht Bach ein durchschnittliches Gehalt; an die 2000 Taler von Quantz und Kapellmeister Graun kommt er bei weitem nicht heran, noch weniger an die Gagen der italienischen Sänger, von denen im Jahr 1750/51 der Kastrat Felice Salimbeni mit 4440 Talern am höchsten bezahlt wird. Im Mai 1755 macht der Geheime Kämmerer Michael Gabriel Fredersdorff König Friedrich die Mitteilung, Carl Philipp Emanuel Bach bitte um eine Gehaltserhöhung oder aber um seine Entlassung: Seine Schüler Nichelmann und Agricola bekämen inzwischen 600 Taler, er selbst aber könne *Mit seine Familie Nicht lehben.* Der augenscheinlich um alles – außer um sein eigenes Deutsch – sich kümmernde König reagiert erbost: «bac ligt [Bach lügt] agricola hat nuhr 500 rt, er hat ein mahl im onsert hier spielet, nuhn Krigt er Spiritus. er Sol doch zulage Krigen er Sol nuhr auf den Etat warten.»[38] Der also Getadelte muss inzwischen eine Frau und drei Kinder versorgen: Er ist seit 1744 mit Johanna Maria Dannemann, der jüngsten Tochter eines Berliner Weinhändlers, verheiratet und hat mit ihr in den Jahren 1745 bis 1748 die Kinder Johann Adam, Anna Carolina Philippina und Johann Sebastian bekommen.

Im Jahre 1749 wird in Leipzig nach der Erinnerung des schon erwähnten Thomasschülers Sonnenkalb ein *Magnificat* von Carl Philipp Emanuel Bach aufgeführt.[39] Augenscheinlich interessiert er sich gleich seinem Bruder Wilhelm Friedemann für das Amt seines Vaters, um das er sich nach dessen Tod sogar förmlich bewirbt. 1753 scheitert er mit der Bewerbung um ein Organistenamt in Zittau, zwei Jahre später mit einem weiteren Versuch, in Leipzig Thomaskantor zu werden – diesmal als Nachfolger Harrers. Immerhin bewirkt eine weitere Eingabe beim preußischen König eine beträchtliche Gehaltserhöhung.

Vermutlich sind italienische Oper und französisches Ballett für das Ansehen des Hofes wichtiger als die Kammermusik. Doch auch diese ist mit einer stattlichen Zahl zum Teil hoch angesehener Musiker besetzt. Sie bestreiten das «ordentliche Concert», welches an allen Tagen ohne sonstige Lustbarkeiten von 7 bis 9 Uhr «in der Kammer des Königs» stattfindet, also in den Schlössern Charlottenburg oder Sanssouci.[40] Dort accompagniert Carl Philipp Emanuel, hat freilich einen zweiten Cembalisten zur Seite und damit Zeit genug zu eigenen Aktivitäten. Die etwa 35 Cembalokonzerte und acht Sinfonien, die in der Berliner Zeit entstehen, lassen sich freilich nicht ohne weiteres in den königlichen Konzerten aufführen; denn dort geben Quantz, die Gebrüder Graun und Franz Benda den Ton an.

Glaubt man dem gewöhnlich gut unterrichteten englischen Bildungsreisenden und Historiographen Charles Burney, so ist Bachs Musik von Friedrich dem Großen nicht sonderlich goutiert worden. Wenn dieser nach anstrengenden Dienstgeschäften oder aufreibenden Feldzügen wieder einmal zur Flöte greift, will er Bekanntes auffrischen, nicht aber Neues kennen lernen. Nach späterer Einschätzung des Berliner Goethe-Freundes Zelter zählte Bach zu den Hofmusikern, welche die tyrannischen Ansprüche des Königs «auf den besten Geschmack in der Literatur und in den Künsten» allerdings nicht anerkennen wollten: «Der König merkte es Bachen an, hatte eine persönliche Abneigung gegen ihn und schätzte diesen großen Künstler deswegen nicht nach Verdienst.»[41]

Vater Bach dürfte seinen Sohn, mit dem er in Berlin und Potsdam mindestens zweimal zusammengetroffen ist, um seine Stellung nicht unbedingt beneidet haben: Er selbst war bereits mit zweiunddreißig Jahren zum Leiter der erstklassigen Köthener Kapelle berufen worden, mit der er nach Herzenslust igene Kompositionen ausprobieren und einstudieren konnte - unter den Augen eines Fürsten, der sich offenbar vor seiner Genialität neigte. Gleiches ist dem Sohn am preußischen Hof nicht beschieden, doch darf man sich seine Tätigkeit auch nicht allzu eintönig vorstellen. So erwähnt Bachs Witwe, ihr Mann habe in seiner Berliner Zeit zusammen mit dem Fürsten Ferdinand Philipp von Lobkowitz eine – leider nicht erhaltene – Sinfonie komponiert, und zwar «aus dem Stegreife, einen Takt um den andern componirt»[42]. Man mag sich das so vorstellen, dass sich ein junger, kunstverständiger Adeliger bei seinem Besuch am Berliner Hof das Vergnügen macht, zusammen mit dem königlichen Cembalisten ein Stück zu komponieren, in welcher die Autorschaft von Takt zu Takt wechselt – ein Spaß sicher auch für den Profi Bach!

Schon in seiner Berliner Zeit tut Carl Philipp Emanuel Bach wichtige Schritte, um sich der bürgerlichen Musikkultur zu nähern. Bereits im Jahr seiner festen Anstellung am preußischen Hof findet man seinen Namen in einem Gutachterausschuss zur Besetzung der Organistenstelle an der Berliner Nicolaikirche. Für seine Orchesterwerke gibt es vielleicht einen Platz in den Berliner Subskriptionskonzerten, und auch seine Klavier- und Kammermusik ist sicherlich in bürgerlichen Zirkeln aufgeführt worden: Als geeignete Privatinstitutionen stehen jeweils zu ihrer Zeit eine «Akademie», eine «musikübende Gesellschaft» und eine «Musikalische Assemblée» zur Verfügung. Die Namen machen deutlich, dass es hier um eine bürgerliche Mischung von Bildung und Geselligkeit geht, und das ist ganz im Sinne von Carl Philipp Emanuel. Dieser findet bald Eingang in Berliner Dichterkreise und befreundet sich mit Johann Wilhelm Ludwig Gleim, dem Haupt der norddeutschen Anakreontik. Die Freundschaft bleibt bestehen, als Gleim 1747 nach Halberstadt übersiedelt: Vier Jahre später weilt Bach dort in seinem Hause; bei anderer Gelegenheit beklagt sich Gleim, dass der Freund während einer Durchreise nicht bei ihm Station gemacht habe. Noch im Jahre 1785 wird er Carl Philipp Emanuel in Hamburg besuchen und gerührt von «meinem lieben alten Bach» sprechen.[43]

Wer das Gleim-Haus in Halberstadt besichtigt, findet dort eine
Porträtgalerie, die Johann Wilhelm Ludwig Gleim zu Ehren seiner
Freunde angelegt hat. Es waren zum Teil auch die Freunde von
Carl Philipp Emanuel Bach.

Aus dem Jahr 1758 stammt ein Rückblick Gleims auf seine
Berliner Zeit, in dem es heißt: «Ramler, Leßing, Sulzer, [Johann
Friedrich] Agricola, [Christian Gottfried] Krause (Der Musicus
nicht der dumme Zeitungsschreiber für den behüte der Himmel!) Bach, Graun, Kurz alles, was zu den Musen und freyer
Künsten gehört gesellte sich täglich zu einander, bald zu Lande, bald zu Waßer; was für Vergnügen war es in solcher Gesellschaft auf der Spree mit den Schwänen um die Wette zu
schwimmen! Was für eine Lust, in dem Thier Garten sich mit
der gantzen Gesellschaft unter tausend Mädchen zu verir-
ren?»[44] Bach macht mit und ist hier kein möglicherweise un-
terforderter Hofcembalist, sondern Mitglied einer zukunftsori-
entierten Künstlergruppe, die zu den Ufern von Anakreontik,
Sturm und Drang und Geniekult aufbricht. Bei aller Verehrung
für den Vater gibt er sich damit viel markanter als sein älterer
Bruder Wilhelm Friedemann als Angehöriger einer neuen Generation zu erkennen. Seine Bekanntschaft ist so begehrt, dass

Von links: Friedrich Gottlieb Klopstock. Porträt von Jens Juel, 1779; Johann Wilhelm Ludwig Gleim. Porträt von Johann Heinrich Tischbein d. Ä., 1771 (?); Heinrich Wilhelm Gerstenberg. Kupferstich und Radierung von Johann Friedrich Moritz Schreyer, um 1793; Christian Fürchtegott Gellert. Kopie von Gottfried Hempel nach unbekanntem Original, 1752

beispielsweise der junge Theologe und Dichter Johann August Eberhard am Silvestertag des Jahres 1764 uneingeladen bei Bachs Sonntagsgesellschaft erscheint, um in den Genuss einer Begegnung zu kommen.[45]

Mit den tonangebenden Dichtern seiner Zeit – Lessing, Ramler, Gleim und Krause – trifft man sich freilich nicht nur zu idyllischen Ausflügen in den Spreewald, sondern auch zu künstlerischer Arbeit: Bach beteiligt sich an einer Reihe von Liedersammlungen, die unter Titeln wie «Oden mit Melodien» oder «Berlinische Oden und Lieder» herauskommen. Seine erste eigene Sammlung, *Herrn Professor Gellerts Geistliche Oden und Lieder mit Melodien*, erscheint 1758 und wird alsbald zu einem großen Erfolg. Einem mehrfach nachgedruckten ersten Band mit 55 Melodien folgt 1764 ein *Anhang* mit zwölf weiteren Liedern. Augenscheinlich trifft Bach den innig-schlichten, jedoch nicht ganz anspruchslosen Frömmigkeitston, welcher vielen Zeitgenossen behagt. Als persönliches Markenzeichen können einige dezent und geschmeidig den Text deutende Vor-, Zwischen- und Nachspiele gelten. Gellert selbst urteilt über die erfolgreiche Vertonung seiner Dichtung gegenüber seiner Schwester mit einiger Distanz: «Sie sind schön, aber zu schön für einen Sänger, der nicht musikalisch ist.»[46]

Die Gellert-Lieder erscheinen mitten im Siebenjährigen Krieg – einem grausamen Krieg: In den Jahren 1756 bis 1763 verlieren 180 000 Soldaten ihr Leben; manche Städte und Residenzen tragen jahrelang an Einschränkungen und Lasten. Auch die Hofmusiker haben zu leiden: Ist der Fürst im Feld, so werden manche von ihnen nur noch zu Minimalbedingungen weiterbeschäftigt oder gar entlassen. Als sein «siegreicher» König keine Anstalten macht, die Kapellmitglieder für erlittene Einkommensverluste zu entschädigen, ist der Hofcembalist Bach darüber «sehr aufgebracht» und lässt sich dies auch anmerken.

Ein Lied der Sammlung, «Gott, deine Güte reicht so weit», dürfte noch bis zu Beethoven gedrungen sein; zumindest gibt es in seiner Komposition über denselben Text op. 48,1 einzelne verwandt klingende Passagen. Nachweislich hat der junge Beethoven die Klaviermusik Carl Philipp Emanuel Bachs auf Anregung seines Lehrers Neefe gründlich studiert. Hans Günter Ottenberg vergleicht in diesem Kontext die Anfänge einer f-Moll-Sonate von Bach und der frühen f-Moll-Sonate op. 2,1 von Beethoven und stellt – ohne Wertung – der Verspieltheit des einen die Konzentriertheit des anderen gegenüber.[47]

Noch in den Jahren zwischen 1809 und 1812 bittet Beethoven den Verlag Breitkopf & Härtel um Hilfe bei der Beschaffung von Notenausgaben Carl Philipp Emanuel Bachs. Es ist die Zeit seiner Klavierfantasie op. 77, die schon der zeitgenössische Kritiker Friedrich Rochlitz mit den «herrlichen» freien Fantasien Bachs verglichen hat: «in Neuheit mehrerer Ideen, in Kühnheit und Ueberraschung der Modulationen, in gelehrter Führung der Stimmen, und auch im Abgebrochenen der Schreibart»[48].

Die erste Sammlung mit weltlichen Liedern lässt Bach 1762 unter dem Titel *Oden mit Melodien* erscheinen; sie enthält Vertonungen zeittypischer Anakreontik und Schäferdichtung und berücksichtigt Autoren wie Gleim, Haller, Lessing und

Ewald Christian von Kleist. Gelegentlich schreibt er auch groß besetzte Vokalwerke; so ist das bereits erwähnte *Magnificat* möglicherweise für die Kapelle von Anna Amalia geschrieben worden. Jedenfalls zählt die preußische Prinzessin zu Bachs Gönnerinnen; anlässlich seines Wegzugs nach Hamburg verleiht sie ihm sogar den Kapellmeistertitel.

Wohl noch bekannter als durch seine Vokalmusik wird der Berliner Bach durch seine Klavierkompositionen. Bereits in den Jahren 1742 bis 1744 erscheinen zwei bedeutende Sammlungen mit je sechs Sonaten: die *Preußischen*, genannt nach dem Widmungsträger Friedrich der Große, und die dem Herzog Carl Eugen gewidmeten *Württembergischen*. Sie fallen dem jungen Joseph Haydn in die Hände, der sich später erinnert: «Da kam ich nicht mehr von meinem Klavier hinweg, bis sie durchgespielt waren, und wer mich gründlich kennt, der muß finden, daß ich dem Emanuel Bach sehr vieles verdanke, daß ich ihn verstanden und fleißig studirt habe; Emanuel Bach ließ mir auch selbst einmal ein Kompliment darüber machen.»[49] In der Tat lassen sich die Experimente, die Haydn seit den 1760er Jahren im Bereich der damals von ihm meist noch «Divertimento» genannten Klaviersonate macht, sehr wohl auf den Einfluss Bachs zurückführen.[50] Schärfer gefasst: Das Stilmittel des Witzes und des Imprévu, des ganz und gar Überraschenden, wie es sich zum Beispiel in Haydns später Klaviersonate C-Dur Hob XVI:50 findet, ist ohne das Vorbild von Carl Philipp Emanuel Bach kaum denkbar.

Dieser gibt 1760 bis 1766 drei Hefte mit je sechs der Prinzessin Anna Amalia gewidmeten *Sonaten* zum Teil *mit veränderten Reprisen* und weitere *Sechs leichte Clavier-Sonaten* zum Druck – sie werden wesentlich zu seiner Beliebtheit beitragen und über Jahrzehnte hinweg ihren Platz am Markt behalten. Andere Klavierpublikationen wie *Six Sonates … à l'usage des dames* (Wq 54) geben schon durch ihre Titel zu verstehen, dass sie sich bei aller Eigengeprägtheit an ein breites Publikum wenden. Das gilt auch für Sammlungen wie «Musikalisches Allerley», «Musikalisches Mancherley», «Musikalisches Vielerley», an denen Bach mitwirkt – zum Teil sogar als Herausgeber. Das Repertoire ist eine kalkulierte Mischung zwischen leicht und schwer und keineswegs auf die Klaviermusik beschränkt: Auch Lieder und Kammermusik spielen eine Rolle.

In Bachs eigenem Sonatenschaffen – dem Schwerpunkt seiner Berliner Klaviermusik – gleicht kein Stück dem andern. Deutlich sind die Abgrenzungen gegen das traditionelle Generalbassdenken, welches auf einen einheitlichen Ablauf des Satzes aus ist, aber auch gegen die modische italienische Schreibweise, sofern dort eine übersichtliche periodische Gliederung absolut gesetzt wird. Der Bach-Sohn lässt sich nicht festlegen, verschmäht weder den obligaten Satz des Vaters noch die Errungenschaften des damals modernen Stils: häufige Synkopierungen, Zwei- und Dreiteilungen kleiner Notenwerte, lombardische Rhythmen, vielerlei Verzierungen und rhetorische Pausen.[51] Doch bei alledem legt er Wert auf Spontaneität und gestische Vehemenz, auf Kontraste auf engstem Raum. Klavieristischer Pomp liegt ihm fern. Um die Pointe eines Gedankens nicht zu gefährden, ist der Satz manchmal geradezu herausfordernd dünn gehalten; das gilt schon für die Triosonaten der Berliner Zeit.

Musik soll nicht nach bloß formalen Gesetzen oder nach traditionellen Vorstellungen von Virtuosität ablaufen, sie soll etwas aussagen. Das kann in speziellen Fällen auf dem Weg über Programmmusik geschehen, wie in der Triosonate mit dem Titel *Gespräch zwischen einem Sanguineus und einem Melancholicus* aus dem Jahr 1751. Indessen will Carl Philipp Emanuel Bach keinesfalls auf solche malenden Momente festgelegt werden: Mit der Gesprächsform dieser Sonate verfolgt er nämlich etwas anderes: Wie in seinen freien Fantasien will er die traditionelle Syntax aufbrechen, in welche er die Gattung der Sonate damals eingezwängt sieht. Seinem Gesprächspartner Matthias Claudius, der ihn später auf musikalische Nachahmungsästhetik festlegen will, erwidert er ausweichend, er habe dergleichen *gelegentlich gemacht und vergessen*[52]. Auf die insistierende Nachfrage: «Es ist doch gleichwohl ein neuer Weg?», lautet die abwehrende Antwort: *Aber nur ein kleiner, man kanns näher haben, wenn man Worte dazu nimmt.* Als man hm eine Klaviersonate zuschreiben will, die eine recht naive Schlachtenschilderung liefert, stellt er dementsprechend klar: *Die erwähnte Bataille ist nicht von mir. Dergleichen ist nicht meine Sache.* [53]

Zwar kann und will Bach nicht leugnen, in seiner Berliner Zeit fürs Klavier zwei Dutzend Charakterstücke (Wq 117,17–40) komponiert zu haben, unter denen sich musikalische Physiognomien von Freunden und mit Titeln wie *La Stahl, La Gleim* oder *La Luise* befinden. Doch das sind Gelegenheitsarbeiten. Natürlich hat eine zeitgemäße Komposition in seinen Augen *auf die genauere Bestimmtheit der musikalischen Ausdrücke* zu achten [54], doch der Zusammenhang muss sich aus der Musik selbst herstellen, selbst wenn diese vor allem mittels *fremder Gänge der Harmonie* [55] – geradezu ein Markenzeichen Carl Philipp Emanuels – sprunghafte und widersprüchliche Charaktere vorstellt und sich damit von der Empfindsamkeit weg- und zum Sturm und Drang hinbewegt.

Vor diesem ästhetischen Hintergrund wird ihn gefreut haben, was 1750 der Berliner Theoretiker Friedrich Wilhelm Marpurg anlässlich seiner h-Moll-Sonate Wq 49.6 berichtet: «Unser Herr Bach spielte vor einiger Zeit einem meiner guten Freunde die sechste aus dem zweyten Theile seiner herausgegebenen Sonaten vor. Dieser Freund gestand mir, daß er sonst das Unglück habe meistentheils zerstreuet zu werden, ehe ein Stück zu Ende käme; bey diesem aber habe er seinen Plan wahrgenommen und […] die Sprache der Töne ohne hinzu gekommene Worte verstanden.» [56]

In diesem Zusammenhang verdient die sechste, mit einer Fantasie schließende Sonate aus seiner Klavierschule besondere Beachtung. Sie ist zwei Freunden Carl Philipp Emanuels, Heinrich Wilhelm von Gerstenberg und Friedrich Ludwig Aemilius Kunzen, Anschauungsmaterial bei der Frage, «ob auch bloße Instrumentalmusik, bey der ein Künstler nur dunkle leidenschaftliche Begriffe in seiner Seele liegen gehabt, einer Analyse in hellere, bestimmtere fähig seyn sollte» [57]. Gerstenberg macht die Probe aufs Exempel und unterlegt dem Werk «Hamlets Monolog, wie der über Leben und Tod phanta-

Der Anfang von Carl Philipp Emanuel Bachs Klavier-Fantasie
in c-Moll mit zwei von Heinrich Wilhelm von Gerstenberg
unterlegten Texten: «Sokrates mit dem Schierlingsbecher» und
Hamlets Monolog «Sein oder Nichtsein». Instrumentalmusik,
die ohne Worte sprach, war für viele Zeitgenossen irritierend.
Am besten unterlegte man ihr einen passenden Text. Aus dem
musikalischen Magazin «Flora», 1. Sammlung, Kiel 1787

sirt, alles in kurzen Sätzen, das Largo ausgenommen, das eine
Art von Mittelzustand seiner erschütterten Seele ausmacht»[58].
Und zum Beweis, dass es auch anders geht, probiert er noch eine zweite Textunterlegung, nämlich den Monolog des Sokrates, ehe er den Giftbecher nimmt.

Das Ganze soll als Melodram aufgeführt werden. Bach ver-
dammt solche Versuche nicht in Grund und Boden, da sie immerhin die diskursiven Potenzen seiner Musik herausstellen,
ist aber nicht geneigt, spezielle Vorlagen für solche Experimente zu komponieren. Er will ja gerade dazu beitragen, dass
die Klaviermusik zum Paradigma einer instrumentalen Sprache wird, welche auch ohne Worte bis in die Nuancen hinein
verständlich ist – vor allem als Seelensprache. Das Ideal abso-

uter Musik, wie es am Ende des Jahrhunderts Ludwig Tieck und Wilhelm Heinrich Wackenroder propagieren werden, ist hier bereits vorgeprägt; und mit demselben Recht, mit dem man diese gemeinhin als Frühromantiker bezeichneten Dichter zusammen mit Karl Philipp Moritz ‹noch› der Empfindsamkeit zurechnen mag, lässt sich der ästhetische Kontext der Klaviermusik Carl Philipp Emanuel Bachs ‹schon› mit dem frühromantischen Topos von der Unsagbarkeit wahrer Kunst in Verbindung bringen.

Nicht zuletzt als theoretisches und ästhetisches Begleitwerk zum Berliner Klavierschaffen lässt sich der 1753 veröffentlichte *Versuch über die wahre Art das Clavier zu spielen mit Exempeln und achtzehn Probe-Stücken in sechs Sonaten* verstehen: Es ist der erste Teil einer im Jahr 1762 um einen 2. Teil vermehrten Klavierschule der höheren Art. Als solche erscheint sie kaum zufällig nur ein Jahr nach der gewiss ebenso bedeutenden Flötenschule des Berliner Kapellkollegen Quantz, mit welcher sie insgeheim konkurriert haben mag. Zu Lebzeiten des Autors erreichen die beiden Teile des Lehrwerks eine Gesamtauflage von jeweils 1000 bis 1500 Stück, denen man die 2000 Exemplare gegenüberstellen muss, in denen Georg Joachim Goeschen in den Jahren 1786 bis 1790 eine Ausgabe der Werke Goethes auflegt. [59]

In der Tat genießt Bachs Schule einen hervorragenden Ruf, den ihr Autor gegebenenfalls kämpferisch zu verteidigen weiß. So veröffentlicht er am 11. Januar 1773 eine Warnung vor schlechten Klavierschulen. Das sind zwar alle außer der seinen; doch die Warnung erfolgt gezielt einen Tag vor dem Subskriptionaufruf zu einer neuen Generalbassschule, deren Autor pikanterweise Georg Michael Telemann ist: Enkel seines Paten und Hamburger Amtsvorgängers. [60] Ausdrücklich begründet Carl Philipp Emanuel Bach noch einmal die Bedeutung seiner eigenen Schule, die nicht nur als Sammlung von Etüden und leichten Klavierstücken zu verstehen ist, sondern auch eine gründliche Fingersatz-, Verzierungs- und Vortragslehre enthält – nebst einer ausführlichen Anleitung zum *feinen Accompagnement*, das heißt zur Klavierbegleitung.

Die Gegenstände des Vortrages, so ist zu lesen, *sind die Stärck und Schwäche der Töne, ihr Druck, Schnellen, Ziehen, Stossen, Beben Brechen, Halten, Schleppen und Fortgehen.*[61] Bei seinen Darlegun gen bezieht sich der Autor ebenso auf das traditionelle Cemba lo wie auf das moderne Pianoforte, macht jedoch keinen Hehl daraus, dass namentlich das Clavichord geeignet sei, um *sin gend [zu] dencken* und *aus der Seele* zu spielen – anstatt *wie ei abgerichteter Vogel.*[62] Da Bach seinen theoretischen Ausführun gen einige hochbedeutende, mit detaillierten Vortragsbezeich nungen versehene Kompositionen beigefügt hat, lässt sich se ne Schule als eine Ästhetik der Klavierkomposition und de Klavierspiels aus dem Geist der Empfindsamkeit verstehen.

Vom ausführenden Künstler erwartet Carl Philipp Ema nuel Bach, dass er die vom Komponisten ausgedrückten Emp findungen am Instrument ausagiert: *Indem ein Musicus nich anders rühren kan, er sey dann selbst gerührt; so muss er nothwendi sich selbst in alle Affekten setzen können, welche er bey seinen Zuhö rern erregen will; er giebt ihnen seine Empfindungen zu verstehe und bewegt sie solchergestallt am besten zur Mit=Empfindung. Be matten und traurigen Stellen wird er matt und traurig. Man sieh und hört es ihm an. Dieses geschicht ebenfals bey heftigen, lustigen und andern Arten von Gedancken, wo er sich alsdenn in diese Affeck te setzet. Kaum, daß er einen stillt, so erregt er einen andern, folglic wechselt er beständig mit Leidenschaften ab.*[63]

Das ist ganz im Sinne eines Jean-Jacques Rousseau, der der gemeinsamen Ursprung von Sprache und Musik in den Lei denschaften («passions») sieht, die er im Einklang mit der zeit genössischen Physiologie als Spannungswechsel im Nerven und Muskelsystem, im Blutkreislauf und in den Bewegunger der Seele deutet. Dass Carl Philipp Emanuel Bach seinen theo retischen Vorstellungen als Interpret der eigenen Werke ge recht wurde, bezeugt Charles Burney, wenn er anlässlich eines Besuches bei Bach im Oktober 1772 notiert: «Nach der Mahl zeit, welche mit Geschmack bereitet, und mit heiterem Ver gnügen verzehrt wurde, erhielt ichs von ihm, daß er sich aber mals ans Clavier setzte; und er spielte, ohne daß er lange dazwischen aufhörte, fast bis um Eilf Uhr des Abends. Während dieser Zeit gerieth er dergestalt in Feuer und wahre Begeistrung, daß er nicht nur spielte, sondern die Miene eines ausser sich Entzückten bekam. Seine Augen stunden unbeweglich, seine Unterlippe senkte sich nieder und seine Seele schien sich um ihren Gefährten nicht weiter zu bekümmern, als nur so weit er ihr zur Befriedigung ihrer Leidenschaft behülflich war. Er sagte hernach, wenn er auf diese Weise öfter in Arbeit gesetzt würde, so würde er wieder jung werden.»[64]

Ein Jahrhundert später steht solches Agieren unter dem Verdacht der Scharlatanerie, und Wilhelm Busch macht sich in seiner Bilderfolge «Der Virtuos» nach Kräften darüber lustig. Zur Zeit des Bach-Sohns mokiert man sich noch nicht über das möglicherweise Gekünstelte der Körpersprache, bewundert vielmehr ihre Unverstelltheit, die derjenigen des «edlen Wilden» nahe kommt. Carl Philipp Emanuel Bach darf freilich nicht zum Schüler Rousseaus gemacht werden: In einer späten Rezension von Forkels «Allgemeiner Geschichte der Musik» wendet er sich ausdrücklich gegen die *ohne Kunstkenntniß* geäußerte Vorstellung des *berühmten J. J. Rousseau, eine Musik, die als eine wirklich aneinander hängende Sprache zu unsern Empfindungen reden soll,* könne *ohne Harmonie, die keinem alten Volke bekannt war,* auskommen.[65]

Vielmehr verteidigt Bach entschieden die modernen Errungenschaften der Musik, ohne sich allerdings mit der allerneuesten italienischen Strömung anfreunden zu können. Mit Sympathie referiert Lessing ein diesbezügliches Gespräch, das er zwischen 1768 und 1775 geführt haben muss: «Bach klagt über den itzigen Verfall der Musik. Er schreibt ihn der komischen Musik zu; und sagte mir, daß Galuppi selbst, der einer von den ersten komischen Komponisten ist, [...] versichert habe, daß der Geschmack an der komischen Musik sogar die alte gute Musik aus den Kirchen in Italien verdränge. Er selbst habe eine von seinen komischen Symphonien in einer Kirche zu Rom gehört, der man einen geistlichen Text untergelegt. Eine wesentliche Eigenschaft von der komischen Musik ist, daß sie fast nichts als Allegros hat und die Adagios gänzlich verbannet; kaum daß sie noch dann und wann ein Andante erlaubet.»[66]

Es ist kein Zufall, dass sich damals zwei Hamburger in der Kritik am komischen Stil einig sind. Denn in dieser Geschmacksfrage verläuft die Grenzlinie zwischen Italien und Süddeutschland einerseits, Norddeutschland andererseits. Nicht etwa dass die Berliner und Hamburger Ästhetiker ausschließlich auf gravitätische Kompositionen fixiert wären: Auch ihre Musik soll fasslich sein, zu Herzen gehen, gegebenenfalls auch durch rasche Affektenwechsel beeindrucken. Doch was zu viel ist, ist zu viel: Nicht *alles muß närrisch und comisch seyn!*[67] «Wie viele Concerts, Sinfonien, u. d. g. bekommen wir heut zu Tage zu hören, die uns die Würde der Musik in gesetzten und prächtigen Tönen fühlen lassen; aber ehe man es vermuthet, springt Hans Wurst mitten darunter, und erregt durch seine pöbelhaften Possen um so vielmehr unser Mitleid, je ernster die vorhergegangene Rührung war.»[68]

Um der von ihm so bezeichneten «Amüsiermusik» besser gerecht zu werden als ihre damaligen Verächter, bemüht Peter Schleuning einen des Possenreißens ganz unverdächtigen Zeugen: Wolfgang Amadeus Mozart mit Blondchens Arie «Welche Wonne, welche Lust» aus der «Entführung aus dem Serail».[69] Der musikalische Satz ist nicht «stimmig» oder «gearbeitet», sondern ganz auf Melodie und einfache Begleitung gestellt. Gleichwohl entspricht er nicht etwa dem Ideal von edler Einfalt und stiller Größe, ist vielmehr keck und dynamisch – für norddeutsche Ohren möglicherweise ein provozierendes Beispiel für Körperlichkeit und unverhohlene Lebensfreude. Wir wüssten gern, ob Carl Philipp Emanuel Bach, der ja nur drei Jahre vor Mozart starb, diese Oper wahrgenommen und dem komischen Stil zugerechnet hat. Dann wäre er womöglich mit einer Charakterisierung der «Musikalischen Monatsschrift» aus dem Jahr 1793 einverstanden gewesen: «Mozart war ein großes Genie; allein – er hatte eigentlich wenig höhere Cultur, und wenig, oder vielleicht gar keinen wissenschaftlichen Geschmack.»[70]

Dass der Jüngere mit der Musik des Älteren umgegangen ist, lässt sich nachweisen: Mozart hat als Elfjähriger das schon erwähnte Charakterstück *La Boehmer* (WQ 117,26) aus dem

«Musicalischen Mancherley» von 1762/63 als Finalsatz für sein frühes Klavierkonzert KV 40 eingerichtet; noch in den reifen Wiener Klavierkompositionen scheint gelegentlich das Vorbild von Carl Philipp Emanuel Bach durch – zum Beispiel in den extrem chromatischen Partien aus dem zweiten Satz des Klavierquintetts KV 452. Vermutlich aus dem Frühjahr 1788 stammt eine Bearbeitung der Arie «Ich folge dir, verklärter Held» aus Bachs Oratorium *Auferstehung und Himmelfahrt Jesu* (KV 537 d). Jedenfalls erklingt das Oratorium damals in Wien unter Leitung Mozarts. Eine Aufführung im Hoftheater hat mehr als hundert Mitwirkende; der Erfolg ist riesig. Dass die anwesenden Excellenzen und Fürstinnen «Vivat» rufen, hat Symbolwert: Spätestens im Jahr seines Todes ist der ja vor allem in Norddeutschland und -europa geschätzte Bach-Sohn auch in Wien angekommen – durch Vermittlung des Barons Gottfried van Swieten, der während seiner Berliner Gesandtenzeit zu einem seiner Bewunderer geworden ist. Dieser hat ihm seinerseits die dritte Folge seiner *Sonaten für Kenner und Liebhaber* gewidmet.

Wir kehren zu Bachs Biographie zurück. Es ist an der Zeit und bedeutet für den inzwischen über Fünfzigjährigen gewiss auch die letzte Chance, dass 1767 der Pate Georg Philipp Telemann im gesegneten Alter von sechsundachtzig Jahren stirbt und das Amt eines Musikdirektors der Hamburger Hauptkirchen freimacht. Carl Philipp Emanuel erhält es – in Konkurrenz übrigens zu seinem Halbbruder Johann Christoph Friedrich und anderen angesehenen Musikern. Nun muss er seine Entlassung beim König durchsetzen, der seinen Hofcembalisten vielleicht nicht übermäßig achtet, sich aber sicherlich gern mit seinem inzwischen ansehnlichen Namen schmückt. Bach schützt cörperliche Umstände vor[71], womit er vermutlich seine Gichtbeschwerden in Finger- und Zehengelenken meint, und hat damit tatsächlich Erfolg.

Die Amtseinführung in Hamburg erfolgt am 19. April 1768. Bach empfiehlt sich traditionsgemäß mit einer lateinischen Antrittsrede *De nobilissimo artis musicae fine* – das heißt *Über den höchst edlen Zweck musikalischen Kunst* – und unterlässt

Der Klassenraum der Prima des Johanneums in Hamburg, in dem Carl Philipp Emanuel Bach 1768 in sein Kantorenamt eingeführt wurde. Lithographie von Speckter & Co., nach einer Zeichnung von Wilhelm Friedrich Wulff, 1840

es nicht, der *ausnehmenden Stärke* Friedrich des Großen zu gedenken, *dem er so viele Jahre in dessen Erholungsstunden zur Seite zu seyn die Ehre gehabt hat.*[72] Der Senior der Hamburger Geistlichen, Johann Melchior Goetze, revanchiert sich mit einer Laudatio über die himmlische Harmonie. Georg Michael Telemann schreibt eine Kantate, in der unter Verwendung von Pauken und Trompeten u. a. die Kompetenz des neuen Kantors beschworen wird.

Das Einweisungszeremoniell ist höchst würdig und doch zum Teil nur noch Fassade. Zwar ist Carl Philipp Emanuel, wie zuvor sein Vater in Leipzig, nun endlich Kantor und «Director musices» einer der größten deutschen Städte und zudem Nachfolger des berühmten Telemann, jedoch wird sich sein Ansehen weniger aus dem traditionellen Beruf als aus freier Tätigkeit ableiten. Denn die Institution der offiziellen Kirchenmusik ist in Hamburg im Niedergang begriffen, und das hat strukturelle Gründe. Bis ins 18. Jahrhundert hinein hatte die geistliche Vokalmusik einen festen Platz im gottesdienstlichen Geschehen eingenommen und war mehr als liturgische Notwendigkeit denn als musikalische Darbietung angesehen worden. Mit der Einführung der modernen, an der Oper orientierten Formen von Kantate und Oratorium wird sie für eine musikbegeisterte Minderheit immer mehr zum Ohrenschmaus, für die Mehrheit der Gottesdienstbesucher jedoch zu einem überflüssigen oder gar lästigen Beiwerk.

Auch Bachs Engagement für moderne Kirchenmusik konzentriert sich zunehmend auf hohe kirchliche Feste, Amtseinführungen und außergottesdienstliche Konzertveranstaltungen, denen seine besondere Aufmerksamkeit gilt. Natürlich muss er sich der «Alltagsarbeit» stellen und bis zu 125 gottesdienstliche Aufführungen pro Jahr leiten; denn in einem festen Turnus sind alle fünf Hamburger Hauptkirchen mit «ganzer» oder «halber» Musik zu bedienen: St. Petri, St. Nikolai, St. Katharinen, St. Jakobi und St. Michaelis.[73] Doch anders als es bei seinem Vater zu erleben war, bestreitet er das Repertoire der Samstagsvespern und der regulären Sonntagsmusiken selten mit eigenen Kompositionen; stattdessen schöpft er aus einem Fundus von Kantaten anderer Komponisten wie Telemann, Fasch, Stölzel, Benda, Homilius und gelegentlich auch Bach-Vater. Solche Werke für die konkrete Hamburger Situation einzurichten ist freilich Arbeit genug. Deshalb ist es nicht gerade ein Zeichen von Sensibilität, dass die Oberen ihn schon nach wenigen Dienstjahren «höflich aber dreuste» auffordern, künftig mehr Eigenes zu bieten.[74] Denn wenngleich Bach in Hamburg entgegen den offiziellen Erwartungen nicht mit einem originalen Kantatenjahrgang eingestiegen ist, so tritt er doch bei hohen Festen und Amtseinführungen bevorzugt mit eigenen Kompositionen auf. Gleichwohl verwundert es nicht, dass nach Bachs Tod die Aufhebung des Kantorats erwogen wird: Man könne die Kosten für den Kantor sparen, wenn man für die gewöhnlichen Sonntagsgottesdienste nur noch eine Art Präfektenmusik vorsehe, die kunstvolle Kirchenmusik auf besondere Feierlichkeiten beschränke und dafür «geschulte Meister für gute Bezahlung» engagiere.[75]

Diese Überlegung ist umso verständlicher, als es in Hamburg schon seit Generationen keinen leistungsfähigen Schulchor mehr gibt: In der konzertanten Kirchenmusik agiert stattdessen ein Ensemble von sechs bis acht Berufssängern. Auch Bach ist wenig interessiert, aus dem Schülerkreis des Johanneums, der Hamburger Gelehrtenschule, einen guten Sängernachwuchs heranzuziehen: In den Singestunden lässt er sich vertreten, teilweise vom Pedell. Freilich bereitet auch die Arbeit mit dem kleinen Berufssängerensemble ständig Probleme. Bach muss es persönlich aus einem Topf bezahlen, der von der Behörde nur mit einem kleinen Fixum gespeist wird. Gute Sänger kommen ihn somit teuer zu stehen. Da vor allem leistungsfähige Knabenstimmen rar sind, besetzt Bach nach dem Vorbild seines Vorgängers Telemann den Alt häufig, den Sopran zumindest gelegentlich mit einem Männer-Falsett.

Alles in allem scheinen die Leistungen der Sänger keineswegs immer von höchstem Niveau gewesen zu sein. Der Dichter und Herausgeber des «Wandsbeker Boten», Matthias Claudius, berichtet über einen Kirchenbesuch, er habe nur «aus dem Maulzucken einiger Menschen, die vorne an stunden, und aus abgebrochenen, verlornen Lauten erfahren, daß gesungen ward»[76]. Das mag polemisch formuliert sein; doch auch Bach selbst meint nach einem Besuch der Katharinenkirche, wo im Beisein seines Gastes Charles Burney eine seiner Kompositionen aufgeführt worden ist: *Ich bin mit meiner gegenwärtigen Situation sehr zufrieden; freylich möchte ich mich zuweilen ein wenig schämen, wenn ein Mann von Geschmack und Einsicht zu uns kommt, der eine bessre musikalische Bewirthung verdiente.*[77]

Burneys Erinnerungen erscheinen im Jahr 1773 – im Original und in einer deutschen Übersetzung von Johann Christoph Bode. Vermutlich, um Carl Philipp Emanuel Bach und die Hamburger Gesellschaft zu schonen, unterschlägt Letzterer in diesem Kontext einen weit krasseren Passus des Originals: Bach erklärt, sich in Berlin noch für gute Aufführungen seiner Werke zerrissen, angesichts der Hamburger Verhältnisse aber resigniert zu haben: *Adieu music! now,* he said, *these are good people for society, and I enjoy more tranquillity and independence here, than at a court; after I was fifty, I gave the thing up, and said, let us eat and drink, for tomorrow we die![78]* Man sollte diese durch Briefe ähnlichen Tenors gestützte Bemerkung weder unterschlagen noch überbewerten: Die Wahrheit liegt wohl in der Mitte.

Wir bleiben noch etwas bei Claudius, der auf Wunsch seines Kopenhagener Mentors Heinrich Wilhelm Gerstenberg Bach bald nach dessen Dienstantritt aufsucht und im Negligé antrifft. Den sich anschließenden Dialog teilt Claudius seinem Auftraggeber alsbald in seiner lakonischen Art mit:

«Bach: *Verzeihen Sie, daß Sie mich so im* negligé *treffen.*

Claudius: Man findet Virtuosen ordinoir darin.

Bach: *Bei Leibe nicht, das sind nicht* Virtuosen, *das sind liederliche Leute.*

Claudius: Ich komme aus K o p e n h a g e n und habe einen Gruß für Sie von H. Past. R e s e w i t z, wenn Sie sich seiner noch erinnern.

Bach: *O ja – wie steht es um die Musik in Kopenhagen?*

Claudius: Sehr mäßig, S c h o b e r t und Ihr Bruder sind die LieblingsA u t o r s, Sie gefallen nicht sonderlich.

Bach: *Darin muß ich mich finden. Schobert ist auch hier bekannt, er ist ein Mann, der Kopfs hat, aber hinter seiner und meines Bruders [Johann Christian] itziger Komposition ist nichts.*

Claudius: Sie fällt gleichwohl gut ins Ohr.

Bach: *Sie fällt hinein und füllt es aus, läßt aber das Herz leer, das ist mein Urteil von der neuen Musik, der neuen komischen Musik. die auch in Italien, wie mir Galuppi gesagt hat, Mode ist, sodaß man gar keine* Adagio, *lauter räuspernde* Allegro, *allenfalls ein* Andantino *zu hören bekommt. Der König von Preußen haßt diese Musik aufs äußerste, sonst findet sie fast allenthalben Beifall und ich habe mich in meinen* Sonatinen *[für konzertierendes Cembalo und Begleitung] nur ein wenig zu dem Geschmack heruntergelassen. [...] Die Musik hat höhere Absichten, sie soll nicht das Ohr füllen, sondern das Herz in Bewegung setzen.*[79]

Das passt zu der bereits mitgeteilten Erinnerung Lessings und noch mehr zu einer Äußerung Carl Philipp Emanuel Bachs über den kantablen Klaviersatz: *Es ist diese Sache nicht gar*

Carl Philipp
Emanuel Bach.
Kolorierte
Radierung von
Franz Krüger,
1778

so leicht, wenn man das Ohr nicht zu leer lassen, und die edle Einfal
des Gesanges durch zu vieles Geräusch nicht verderben will. Mich
deucht, die Musik müsse vornehmlich das Herz rühren, und dahin
bringt es ein Klavierspieler nie durch Poltern, Trommeln und Har-
peggiren, wenigstens bey mir nicht.[80]

Doch zurück zur Kirchenmusik: Mit besonderer Liebe
widmet sich Bach der jährlichen Passionsmusik. Gelegentlich
liegt sie schon im Dezember des Vorjahres bereit, denn Bach
fürchtet nichts mehr als die Arbeit unter Zeitdruck, wie er sie
von seinem Vater kennt. Zwischen 1769 und 1789 bringt er
jährlich eine neue Passion heraus, die binnen weniger Tage
in allen fünf Hauptkirchen aufgeführt wird. Gemäß einem
traditionellen Vierjahreszyklus werden nacheinander die vier

Evangelien als Textgrundlage verwendet. In den Matthäus-
passionen übernimmt Carl Philipp Emanuel vom Vater neben
dem Grundschema ganze Kompositionsteile: Großzügig bedient er sich der Evangelisten-Rezitative, der dramatischen
Chöre und der Choräle von Johann Sebastian Bach. Da er jedoch die Ariosi und Arien für jedes Werk neu komponiert,
gleicht dennoch keines dem anderen.

Dieses Verfahren ist durchdacht, wenn nicht genial: Es
könnte als Vorbild für heutige Passionsaufführungen gelten.
Indem Bach auf dem Werk
des Vaters aufbaut, schafft er
Kontinuität und Tradition –
welchen Sinn hätte es, die
liturgischen Texte und die ein-
schlägigen Choräle, bei denen
die Gemeinde in Hamburg
mitsingt, jedes Jahr neu zu ver-
tonen? Indem er in den Partien
über freie Dichtung mit der
Zeit geht, hält er die einzelnen
Werke gleichwohl aktuell. Zugleich schafft er sich Raum,
jeder Passion einen an seinem
persönlichen Erleben ausge-
richteten Charakter zu geben.
Es ist gewiss kein Zufall, dass
die letzte *Matthäuspassion* auf
einen undramatischen, ja ele-
gischen Ton gestimmt ist: Bach
hat sie offensichtlich in Erwartung seines Todes komponiert
und vielleicht geahnt, dass er
ihre Aufführung in der Passi-
onszeit des Jahres 1789 nicht
mehr erleben würde.

Viele ungedruckte Werke Carl
Philipp Emanuel Bachs wurden im
Archiv der Berliner Singakademie
verwahrt, das im Verlauf des Zweiten
Weltkriegs ausgelagert wurde. Erst
vor wenigen Jahren ist es dem Bach-
Forscher Christoph Wolff gelungen,
die inzwischen in Kiew lagernden
Bestände der Singakademie wieder
aufzufinden und der Forschung zu-
gänglich zu machen. Das gibt neue
Impulse für eine Gesamtausgabe,
die bisher immer in den Anfängen
stecken blieb. Was die Sekundär-
literatur betrifft, so ist freilich über
keinen Bach-Sohn so viel geforscht
worden wie über Carl Philipp Emanuel. Hier hat das Jubiläumsjahr
1988 viel bewirkt. In Frankfurt an
der Oder widmet sich inzwischen
die Konzerthalle «Philipp Emanuel
Bach» intensiv dem Schaffen ihres
Namensträgers. – Halbbruder Johann
Christian Bach hat bereits seine
Gesamtausgabe in 48 Bänden: von
dem englischen Forscher und Rund-
funkjournalisten Ernest Warburton
in den Jahren 1984 bis 1999 zwar mit
heißer Nadel gestrickt, aber gleichwohl dankbar begrüßt.

Wegen ihrer Bindung an lokale liturgische Traditionen
haben Bachs offizielle Hamburger Passionsmusiken keine

überregionale Bedeutung erlangen können. Für solche sorg
der Komponist mit Oratorien, deren Text von Anfang bis End
aus freier Dichtung besteht und deren Musik ganz und ga
dem empfindsamen Ton der Zeit genügt. Auf diesem Feld kan
er sich «ganz seinem Genie überlassen, ohne auf diesen oder je
nen Umstand Rücksicht zu nehmen»[81]. So formuliert es in
Jahre 1778 der Kritiker einer Hamburger Aufführung von *Au*,
erstehung und Himmelfahrt Jesu, die Bach übrigens durch Einla
gen am Klavier auflockert, sodass die Zuhörer auch sein «vo
treffliches unnachahmliches Spiel bewundern» können.[82]

Letzteres wäre in der Kirche nicht denkbar; und tatsäch
lich erfolgt die Darbietung gegen Eintrittsgeld im neuen Kor
zertsaal auf dem Kamp: Die neuen Oratorien sind weniger fü
die Kirche als für das Konzert und das häusliche Musiziere
bestimmt. Und je länger, je mehr rechnen die Komponiste
mit «Singechören», die nicht von einer kirchlichen oder städt
schen Behörde rekrutiert, sondern von begeisterten Laiensär
gern gegründet werden: Endlich müssen sich sangesfreudig
Frauen und Männer nicht länger nur mit der Rolle gottes
dienstlicher Zuhörer zufrieden geben, können vielmehr ihre
eigenen Chor bilden, der weder liturgische Funktionen erfü
len noch absolute Kunstgenüsse bieten soll, vielmehr de
Wunsch des gehobenen Bürgertums spiegelt, sich seine Kultu
im Zeichen von Bildung, Religiosität und Innerlichkeit selbs
zu schaffen.

Mit ihrer Begeisterung für Händels Oratorien sind di
Engländer Vorreiter einer solchen Entwicklung gewesen. Un
spätestens nachdem Michael Arne im Jahre 1772 den «Messias
für Hamburg und damit für ganz Deutschland neu entdeckt un
bei Insidern geradezu einen Händel-Taumel ausgelöst hat, is
der Weg frei für deutsche Oratorien des empfindsamen Genres
Das erste Werk Carl Philipp Emanuel Bachs, das in diese Reih
passt, ist eine überwiegend aus älterem Material gewonnen
Passionskantate, die dem Publikum – neben der offiziellen Pas
sionsmusik – «zur fortwährenden Erbauung» bis 1785 Jahr fü
Jahr in der Kirche des Zucht- und Spinnhauses vorgeführt wir
Doch vor allem mit den Oratorien *Die Israeliten in der Wüst*

1769) und *Die Auferstehung und Himmelfahrt Jesu* (1774) macht sich Carl Philipp Emanuel Bach einen Namen, ferner mit *Klopstocks Morgengesang am Schöpfungsfeste* (1783).

An solchen Werken rühmt man Plastizität und Leidenschaft der Empfindung, und speziell von den *Israeliten in der Wüste*, über einen Text von Daniel Schiebeler komponiert, schwärmt der Komponist und Bach-Verehrer Johann Friedrich Reichardt mit den Worten: «Wie passend, wie ganz erschöpft der Ausdruck war, wie stark, wie gewaltig das Geschrey des verzweifelten Volks, wie originell der Ausdruck seines Spottes und Hohnes gegen Gott und ihren Führer, wie majestätisch die Sprache Mosis gegen das Volk, und wie flehentlich, wie tief in den Staub gebeugt demüthig, sein Gebet zu Gott, wie hinreisend frölich die Freude des erretteten Volkes, wie lieblich und angenehm überhaupt die ganze letzte Scene gegen die ersteren grauenvollen erbärmlichen Scenen absticht, das kann ich dir gar nicht ausdrücken, dazu giebt es gar keine andere Zeichen, als Bachs eigene Töne.» [83]

Zugleich ist die Musikkritik von der Souveränität beeindruckt, mit welcher der Komponist trotz alledem auf den einfachen Ausdruck baut, ob nun im erhabenen oder im anmutigen Genre. Auf die in der Gattung des Oratoriums so beliebte Tonmalerei verzichtet er weitgehend: Seine Zuhörer sollen nicht auf einzelne Stellen mit «Ah» und «Oh» reagieren, sondern sich insgesamt vom Gefühlsstrom der Töne tragen lassen. Dieser Intention zuliebe arbeitet Bach das auf ein jahrzehntelang geliebtes Libretto von Karl Wilhelm Ramler komponierte Oratorium *Auferstehung und Himmelfahrt Jesu* im Lauf der Jahre von einem dramatischen zu einem lyrischen Oratorium um. Der für seinen Vater unabdinglichen fugierten Schreibart huldigt er nur selten; er beherrscht sie zwar, hält Fugen jedoch eher für trockenen Formalkram als für eine zündende Form der Zeitgestaltung und außerdem für Laienchöre reichlich schwer.

Man würde seiner oratorischen Musik, welche die Alternative gekünstelt/banal nicht kennt, im Sinne der Zeit «edle Einfalt, stille Größe» zusprechen, wenn es nicht auch Kunstfertigkeit wahrzunehmen gälte – wo sie am Platz ist. *Auferste-*

hung und Himmelfahrt Jesu sind *zur Lehre u. nicht für Damen* und *musikalische Windbeutel geschrieben*[84]; das Werk zählt zu seinen am stärksten gearbeiteten Stücken. Ohne als *eigenliebiger Geck* erscheinen zu wollen, spricht Bach im Alter die Erwartung aus, dass ihm dieses Werk noch nach seinem *Tod viele Ehre und Kunstliebhabern großen Nutzen bringen* wird.[85]

Am doppelchörigen *Heilig* fasziniert die Zeitgenossen weniger traditionelle Arbeit als kalkuliertes Raffinement. Der Gothaer Kapellmeister Georg Benda vermerkt mit Bewunderung, Bach habe «die größte Simplicität mit der tiefsten Kunst vereinigt. Die Engel, sagte er mir, müssen in ihrem Anbetungsgesang keine Künsteleyen anbringen; edle Simplicität muß der Haupt-Charakter desselben seyn.»[86] Die entsprechenden Wirkungen habe der Komponist durch die ebenso einfache wie sinnreiche Verknüpfung entlegener Tonarten und ohne ausufernde Chromatik erzielt. Freilich ist Benda, zur Zeit der Erstaufführung auf Stellensuche in Hamburg, kein ganz unverdächtiger Ohrenzeuge: Zum einen ist sein Text mit Bach abgesprochen, zum andern stammt die Ariette für Altstimme, welche dessen mächtigem Doppelchor vorausgeht, von ihm selbst.

Da arbeiten sich zwei Musiker, die sich aus ihrer Berliner Hofmusikerzeit kennen, gegenseitig in die Hände – einer von vielen Belegen dafür, dass sich Carl Philipp Emanuel Bach in der Hamburger Szene – und weit über sie hinaus – trefflich zu etablieren weiß. Dazu weitere Details am Beispiel des *Heilig*. Komponiert ist es als Michaelismusik des Jahres 1776, also als gottesdienstliche Festmusik. In diesem Rahmen erklingt es nicht nur einmal, sondern mehrmals in den Hamburger Hauptkirchen. Als das Publikum gesättigt zu sein scheint, weist die lokale Presse auf einen neuen Genuss hin: Am nächsten Sonnabend und Sonntag werde das *Heilig* in der Michaeliskirche dergestalt erklingen, dass der Chor der Engel «von der Höhe über dem Kirchen-Saal»[87], der Chor der Völker aber von der Orgel herab erschalle. Damit wird aus einer gottesdienstlichen geradezu eine Konzertveranstaltung; und nicht die Predigt, sondern die Musik erscheint als Hauptanziehungspunkt der Hamburger Gottesdienste.

Das Innere des Hamburger «Michel», eine der Wirkungsstätten
des Kirchenmusikers Bach und bevorzugter Aufführungsort
des berühmten «Heilig». Stahlstich von James Gray nach einer
Zeichnung von Carl Martin Laeisz

Von den gottesdienstlichen Aufführungen Vater Bachs in Leipzig berichtet nicht eine einzige solcher Notizen. Natürlich sind auch sie beachtet worden. Doch dass der Kirchenmusik-direktor Carl Philipp Emanuel Bach mit seinem *Heilig* die Hamburger Kirchenbesucher wochenlang in Atem hält, wäre für das Leipzig zur Zeit Vater Bachs nicht denkbar gewesen! Und weiter: Das *Heilig* ist auch in den Folgejahren in den Hamburger Kirchen zu hören, es erscheint – nunmehr mit einer von Bach selbst komponierten Ariette – im Druck und taucht schließlich auf dem Programm eines historischen Konzerts auf, das der Bach-Sohn zwei Jahre vor seinem Tod veranstaltet – in der erklärten Absicht, sich in eine Reihe mit Georg Friedrich Händel und Vater Bach zu stellen. Schon früher hatte er seinem Verleger Breitkopf geschrieben, das *Heilig* solle sein *Schwanen Lied* sein und *dazu dienen, daß man meiner nach meinem Tode nicht zu bald vergeßen möge.*[88] Nun stellt er das *Heilig* dem «Credo» aus der h-Moll-Messe seines Vaters und dem «Halleluja» aus Händels «Messias» gegenüber. Es ist mittlerweile geradezu ein Kultstück geworden.

Inzwischen hat der Bach-Sohn einen Ruf auch als Komponist geistlicher Lieder, die vor allem für die häusliche Erbauung gedacht sind. Den schon erwähnten Gellert-Liedern folgen 1774 solche nach Johann Andreas Cramer. Aßmus, alias Matthias Claudius, bemerkt dazu in seinem «Wandsbeker Boten»: «'s gereut mich doch nicht, daß ich pränumerirt habe. […] 's sind mehr als eine Melodie darin, die das Geld alleine wehrt sind. Gleich die erste, ob wohl sonst aller Anfang schwer zu seyn pflegt, ist ganz leicht und simpel und grade weg, daß 's eine Lust ist. Aber meine Lieblingsmelodien sind Seite 27 und S. 10. Die erste [«Tag und Nacht, du Heil der Frommen»] tönt schön tieftraurig und innig klagend und zieht einem die Brust recht zusammen, und die andre [«Die Himmel rufen»] macht sie einem wieder weit den hohen Lobpsalm Davids so recht aus aller Macht heraus zu singen; und daß man in der zwoten Zeile auf Größe Gottes etc. so lange aushalten muß, das ist just wie ichs gerne mag.»[89]

1780/81 erscheinen zwei Sammlungen auf Dichtungen

des Hamburger Hauptpastors Christoph Christian Sturm. Dieser hat auf Wunsch des Komponisten aus dem Corpus seiner geistlichen Gedichte herausgesucht, was er «zur Composition am bequemsten» hält.[90] Der mit Bach befreundete Theologe gilt in seiner Zeit als Erbauungsschriftsteller par excellence; von seinen «Betrachtungen über die Werke Gottes im Reiche der Natur und der Vorsehung», in denen sich traditioneller Kirchenglaube mit zeitgemäßer Naturfrömmigkeit verbindet, war noch Beethoven angezogen.

Auch im weltlichen Bereich vertont Bach immer wieder Gedichte lokaler Größen wie Friedrich von Hagedorn. *Heilig, aber nicht schläfrig* lautet die Vortragsbezeichnung zu Beginn des erst kürzlich wieder entdeckten Liedes «Harvestehude»; der Komponist mag sie nicht ohne Augenzwinkern gewählt haben.

Zu einer geschickten Selbstdarstellung gehören für Carl Philipp Emanuel Bach auch umsichtige Veröffentlichungsstrategien. In Zeiten eines noch wenig entwickelten Musikverlagswesens betreibt er mit Leidenschaft ein Verfahren, das er in Ansätzen bei seinem Vater und schon recht entwickelt bei seinem Vorgänger Telemann hat kennen lernen können: die Praxis des Selbstverlags. Um deren Risiken zu minimieren, baut er zudem das Verfahren der Pränumeration aus. Den Subskriptionsaufruf für die *Israeliten in der Wüste* verschickt er nach einem von Klopstock für die Verbreitung seiner «Deutschen Gelehrtenrepublik» entwickelten Vertriebssystem, das spezielle Kollekteure in allen wichtigen Städten vorsieht; die Letzteren werden für ihre Tätigkeit in der Regel mit Freiexemplaren belohnt.

Während mit Oratorien selten Reichtümer zu erlangen sind, verlegt Bach Lieder und Klaviermusik mit beachtlichem Gewinn. Ein Angebot des Leipziger Verlegers Schwickert lehnt er mit den Worten ab: *Bedenken Sie, was ich verdienen kann, wenn ich selbst Verleger davon bin.*[91] In der Tat bringt es die erste Folge der *Sechs Sonaten für Kenner und Liebhaber* im Jahr 1779 auf 519 Pränumeranten, sodass Bach eine Auflage von 1050 Exemplaren «wagen» kann.[92] Mehr als zehn Vorbestellungen kommen jeweils aus Berlin, Braunschweig, Kopenhagen, Kurland, Dan-

Auf dem anonymen Ölgemälde von 1775 ist Johanna Elisabeth von Winthem, die spätere zweite Frau Klopstocks, mit Bachs «Vaterlandslied» am Klavier beschäftigt.

zig, Göttingen, Hamburg, Holstein, Leipzig, London, Petersburg, Riga, Schlesien, Ulm, Warschau und Wien. *Meine Sonaten u. mein Heilig gehen ab, wie warme Semlen, bey der Börse auf dem Naschmarkte*[93], kann er demgemäß frohgemut berichten. Der Reingewinn der ersten Folge der *Sechs Sonaten* lässt sich auf etwa 950 Reichstaler – beachtlich mehr als ein Jahresgehalt – beziffern[94], er fällt Bach freilich nicht in den Schoß: Einmal mehr muss er sich mit den zwei Dutzend Kollekteuren gut stellen und einen kleinen Versandhandel aufziehen, preiswerte Beförderungsgelegenheiten ausfindig machen und in ständigen Ängsten schweben, ob der Fuhrmann die kostbaren Noten nicht hat im Regen stehen lassen.

Die Brüder Wilhelm Friedemann und Johann Christian kann man sich bei einer solchen Tätigkeit schwer vorstellen; Carl Philipp Emanuel Bach aber scheint sich wohl zu fühlen, wenn er den Geschäftsmann spielen, Summen addieren, Rechnungen prüfen, mit seinen Partnern korrespondieren und gegebenenfalls weidlich feilschen kann – Letzteres zum Beispiel mit Schwickert: *Nun bitte ich Sie, zu überlegen, für welches Spottgeld ich Ihnen diese neue Probestücke machen und überlaßen will. Sie zahlen mir bey der Auslieferung, welche binnen 8 Tagen geschehen kann, für jedes Stück 3 Thaler. Raisonabler kann man nicht sein.*[95] Seine Sonaten will Bach zwar lieber auf eigenes Risiko verlegen; doch es würde ihm zusagen, wenn der Verleger eine Neuauflage seiner alten Klavierschule mit einem erweiterten Anhang ins Programm nähme; denn die Probestücke des ursprünglichen Anhangs sind reichlich schwer für die neue Kundschaft, welche jetzt angesprochen werden soll.

Gelegentlich dürfen auch jüngere Kollegen von Bachs Erfahrung profitieren. So erhält der Berliner Musiker Johann Christoph Kühnau den Rat: *Bey Sachen, die zum Druck, also für Jedermann, bestimmt sind, seyn Sie weniger künstlich und geben mehr Zucker. […] In Sachen, die nicht sollen gedruckt werden, lassen Sie Ihrem Fleisse vollkommenen Lauf. Für eine vortheilhafte Recension werde ich sorgen.*[96] Bach selbst vermittelt bereitwillig zwischen künstlerischem Anspruch und technischem Können seiner «Kunden». Sein Sonatendruck von 1760 Wq 50 richtet sich laut Vorwort an Spieler, die gern mit der *heut zu Tage unentbehrlichen* Kunst glänzen würden, die Reprisen ihrer Vortragsstücke aus dem Stegreif zu verändern, jedoch *nicht mehr Geduld und Zeit genug haben, sich besonders starck zu üben.*[97] Deshalb werden die Veränderungen als Serviceleistung mitgeliefert: Wer will, mag dann vorgeben, die Ideen seien eigene Eingebung.

Ein Mann wie Carl Philipp Emanuel Bach ist natürlich fortwährend beschäftigt. «Se. Eminenz» habe einmal wieder die Hände voll zu tun, schreibt Claudius an Gerstenberg Anfang des Jahres 1775.[98] Diesmal muss er die traditionelle Hamburger Passionsmusik vorbereiten und eine Druckfassung von den *Israeliten in der Wüste* herstellen. Danach gilt es, Korrektur zu lesen, um jeden einzelnen Subskribenten zu kämpfen und das Werk gut am Markt zu platzieren. Doch über den Alltagsverrichtungen verliert Bach nicht die «drollige», das meint umgängliche Art[99], welche man ihm seit seiner Berliner Zeit nachsagt: Er führt ein offenes Haus, weiß sich mit Schlüssel-figuren aus Literatur und Kunst gut zu stellen und wird von ihnen seinerseits geschätzt.

Die anfänglich hohe Auflage seiner *Sonaten für Kenner und Liebhaber* erreicht Bach trotz der eigenen Prognose: *So geschwinde, wie bey durchaus leichten Sachen, wird diemahl der Absatz nicht seyn: also muß man die erste Hitze zu nutzen suchen.*[100] Da nach 200 bis 250 verkauften Exemplaren die Unkosten gedeckt sind, kann er trotz tendenziell zurückgehender Absatzzahlen in den weiteren fünf Folgen abschließend bemerken, er habe insgesamt *ansehnlich gewonnen.* Und mit dem ihm eigenen Selbstbewusstsein fügt er hinzu: Die Sonaten *sind original, gefällig, lange nicht so schwehr, wie vieles Zeug, was jetzt erscheint, u. sie sind nicht altväterisch; genug, sie werden sich, wie meine anderen Sachen, u. noch länger erhalten.*[101] Über Mangel an aktueller Beliebtheit kann sich Carl Philipp Emanuel ohnehin nicht beklagen: Das kundige Publikum begnügt sich nicht mit den erschienenen Werken, sondern fahndet bevorzugt nach Ungedrucktem. 1780, also auf dem Höhepunkt seines Ansehens, muss Bach feststellen, dass sein Buchbinder durch Bestechung dazu gebracht worden ist, Raubkopien von unveröffentlichten Rondi zu fördern.

Im *Musikalischen Vielerley* druckt er nach dem Vorbild von Telemanns «Getreuem Musikmeister» Variationswerke in Fortsetzungen ab, sodass die Abonnenten von Heft zu Heft gespannt sind, wie es wei-

Carl Philipp Emanuel Bach über die Unterschiede von kompositionstechnischer Analyse und ästhetischer Würdigung eines Meisterwerks: «Nach meiner Meynung. NB um Liebhaber zu bilden, könnten viele Dinge wegbleiben, die mancher Musicus [d. h. bloß ausübender Musiker] nicht weiß, auch eben nothwendig nicht wißen darf [um den nötigen Respekt vor dem Komponisten zu behalten]. Das Vornehmste, nehml. das analysiren fehlt. Man nehme von aller Art von musicalischen Arbeiten wahrhafte Meisterstücke; zeige den Liebhabern das Schöne, das Gewagte, das Neue darin; man zeige zugleich, wenn dieses alles nicht drinn wäre, wie unbedeutend das Stück seyn würde; ferner weise man die Fehler, die Fallbrücken die vermieden sind, und besonders in wie fern einer vom ordinairen abgehen u. etwas wagen könne u. s. w.»

Suchalla, Bd. 1, S. 658 f.

ergeht. Nach dem Urteil von Matthias Claudius enthält die Sammlung «gutes und mittelmäßiges durcheinander» [102]. Das macht Bach nicht zum Opportunisten, spiegelt vielmehr in erstaunlichem, musikgeschichtlich geradezu einmaligem Maß das Kommunikations- und Spannungsverhältnis zwischen Komponist und Publikum. Zwar ist er diesem Publikum gegenüber nicht so kompromisslos wie Vater Bach in seiner «Clavier-Übung», doch will er sich ihm auch nicht an den Hals werfen, wie dies in seinen Augen Johann Christian tut. Wenn er eingängig schreibt, so nicht bloß, um zu gefallen, sondern um der Musik immer neue Liebhaber zuzuführen. Und manches, was populär aussieht, ist in Wahrheit von anspruchsvollem Witz. Das gilt etwa für die Gattung des Klavierrondos, die Bach 1780 in die zweite Folge seiner *Sonaten für Kenner und Liebhaber* einführt und bis zu seinem Tode pflegt: Wer dort leichte, formal fassliche Stücke erwartet, wird von Brüchen und Extravaganzen überrascht, die Carl Philipp Emanuel Bach unter das Motto stellt: *Wenn man alt wird, so legt man sich aufs spaßen.* [103]

Dies Spaßen zielt nicht etwa auf den komischen Stil des Halbbruders, ist vielmehr Ausdruck des Versuchs, subjektive Leidenschaft mit «spielerisch-souveräner Handhabung der Werkstruktur» zu verbinden – durchaus nach dem Vorbild zeitgenössischer Literatur. [104] Gerade an konventionellem Material, wie es Form und Thematik des Rondos darstellen, sollen sich Ausdruckskraft und Dialogfähigkeit der Instrumentalmusik erweisen. Bach will sogar den Beweis erbringen, *daß man auch klagende Rondeaux machen könne* [105], wie zum Beispiel das e-Moll-Rondo mit dem Titel *Abschied von meinem Silbermannischen Claviere* (Wq 66) – ein Werk, das er 1781 als seinen *Liebling* bezeichnet. Ideelles Vorbild ist u. a. Laurence Sternes Roman «Tristram Shandy», dessen deutsche Übersetzung Bach im Jahr 1774 subskribiert.

Mehr noch als in den Rondi geht es in den freien Klavierfantasien darum, der allgemeinen Ordnung die Geistesblitze des Einzelnen gegenüberzustellen und überhaupt die Präsenz des Autors in seinem Werk deutlich zu machen. Analog zur gleichzeitigen Literatur könnte man von einer Musik in der

Carl Philipp Emanuel Bach im Gespräch mit dem Hamburger Hauptpastor Christoph Christian Sturm, dessen geistliche Lieder er vertonte. Der Porträtist Andreas Stöttrup hat sich links im Bild selbst festgehalten. Matthias Claudius, Verehrer und gelegentlich respektvoller Kritiker des Hamburger Bach, trug damals keine Perücke mehr. Lavierte Federzeichnung von 1784

Ich-Form sprechen, wie sie Christian Friedrich Daniel Schubart, ein musikkundiger Vertreter des literarischen «Sturm und Drang», ausdrücklich in seinen «Musikalischen Rhapsodien» fordert: «Um aber deine Ichheit auch in der Musik herauszutreiben, so denke, erfinde, phantasiere selber.»[106] Kompositionen, die solchem Phantasieren nachempfunden sind, gibt es nicht nur bei Carl Philipp Emanuel Bach, sondern auch bei Haydn und Beethoven. Dass alle drei Komponisten in ihrer Zeit als «Originalgenies» betrachtet worden sind, beruht nicht zuletzt auf der Hörerfahrung, dass ihre Musik nicht auf naive Weise trägt, sondern zu ständigem Nachvollzug einer fremden «Ichheit» nötigt.

Letzteres gilt übrigens auch für Carl Philipp Emanuel Bachs Sinfonien, die Stefan Kunze in diesem Sinne als musikgeschichtliche «Sonderfälle» einschätzt – beinahe gewaltsam wird die Kontinuität des formalen Ablaufs zur Steigerung der Sprachkraft und «zum Zweck erhitzter, übersteigerter Affekte» gebrochen.[107] Immer wieder versteigt sich das musikalische Subjekt zu einer geradezu exzentrischen Gestaltbildung. In den langsamen Sätzen zeigt sich der «Gestus des Skrupels, des Zögerns oder Nachsinnens […] als Ausdruck eines Leidens an sich selbst»[108]. Nicht von ungefähr ist Carl Philipp Emanuel Bach am Beispiel seiner C-Dur-Fantasie Wq 61/6 als «Großmeister der rhetorischen Pause in der Instrumentalmusik des 18. Jahrhunderts» bezeichnet worden: Jähes Verstummen zählt in seinen exzentrischen Werken mehr als munteres Drauflos-Schwatzen.[109]

Zum ideengeschichtlichen Kontext zählen nicht nur der literarische «Sturm und Drang», sondern auch die asketischen Strömungen des Luthertums: Der ernsthafte Rekurs auf das persönliche Gewissen befördert nicht nur den Hang zu Selbstreflexion, sondern auch jene jähen Stimmungsumschwünge, die pietistisch beeinflussten Autobiographien eigen sind – nicht zuletzt dem Roman «Anton Reiser» von Karl Philipp Moritz, dem schon erwähnten Herausgeber eines zehnbändigen «Magazins zur Erfahrungsseelenkunde» und Zeitgenossen von Carl Philipp Emanuel.

Der Hamburger Bach ist stolz auf die selbstkritischen Züge seines Komponisten-Ich, die er in deutlichem Kontrast zu der ungebrochenen, ja geradezu frechen Ich-Darstellung im Werk seines Bruders Johann Christian sieht. Dessen Musik bedient nicht die höhere Art von Humor à la Sterne, sondern den aus Italien stammenden «komischen Stil». Auch dieser arbeitet gern mit pikanten Gegensätzen auf engem Raum, ist dabei aber nicht auf Brüche, sondern auf die Herstellung eines witzigen Gleichgewichts aus. Carl Philipp Emanuel brandmarkt solche Tendenzen als Opportunismus; indessen gibt der Einfluss zu denken, den der Stil von Johann Christian Bach auf Mozart ausgeübt hat, also auf einen Komponisten, der mit wachsendem Alter immer weniger damit zufrieden war, allein den Geschmack seines Publikums zu bedienen.

Seinerseits wäre Carl Philipp Emanuel Bach nicht zu einem Wortführer der Zeit geworden, hätte er nicht beständig Einfühlung auch in den Laienverstand bewiesen. Von daher erklärt sich das Nebeneinander von leicht und schwer noch in den sechs späten Sonaten-Sammlungen – eine Mischung, deren Intention von den Zeitgenossen freilich nicht immer auf Anhieb verstanden wurde: Während der an Johann Sebastian Bach orientierte Forkel schon fast mit Sorge beobachtet, dass der Sohn sich «an Deutlichkeit und leichter Faßlichkeit seiner Melodien schon etwas dem Populären» nähere, allerdings «noch vollkommen edel» bleibe [110], gesteht Carl Friedrich Zelter seinem Freund Goethe, dass ihn «ein dunkles Gefühl des Echten» zwar schon in jüngeren Jahren zu der «ganz neuen und originalen» Musik von Carl Philipp Emanuel hingezogen habe, ihm diese Musik jedoch zunächst «fast unverständlich» vorgekommen sei. [111]

Vordergründig gesehen, hat Carl Philipp Emanuel Bach unter den sich auferlegten Vermittlungsdiensten nicht gelitten. Man sollte jedoch nicht überhören, dass er in seinen ersten Hamburger Jahren rückschauend bemerkt: *Weil ich meine meisten Arbeiten für gewisse Personen und fürs Publikum habe machen müssen, so bin ich dadurch allezeit mehr gebunden gewesen, als bey den wenigen Stücken, welche ich bloß für mich verfertiget habe.*

Ich habe sogar bisweilen lächerlichen Vorschriften folgen müssen; indessen kann es seyn, daß dergleichen nicht eben angenehme Umstände mein Genie zu gewissen Erfindungen aufgefodert habe, worauf ich vielleicht ausserdem nicht würde gefallen seyn.[112]

Wenn von *lächerlichen Vorschriften* die Rede ist, so denkt man vor allem an die vokal-instrumentalen Gelegenheitsmusiken der Hamburger Zeit, darunter Einführungsmusiken, von denen Bach im Laufe der Jahre fast zwei Dutzend schreibt. Denn bei anderen Aktivitäten hält ihn niemand am Zügel – etwa bei der Einrichtung weltlicher Konzerte mit gemischten Programmen, die man als Vorläufer unserer heutigen Sinfoniekonzerte ansehen kann. Bereits 1768 bekommt er die behördliche Genehmigung, sie im Konzertsaal auf dem Kamp zu veranstalten und sich auch selbst auf dem Cembalo hören zu lassen. Für die meist montags von fünf bis acht stattfindenden Veranstaltungen legt er Subskriptionslisten auf.

Stammbucheintragung von Carl Philipp Emanuel Bach für Carl Friedrich Cramer. Die Notenfolge B-A-C-H erscheint als Originalgestalt im Sopran, als Transposition der Originalgestalt im 2. Tenor, als Umkehrung bzw. Krebs im Alt, 1. Tenor und Bass

Ob diese Initiative alsbald Erfolg gehabt hat, ist heute nicht mehr festzustellen; doch auch für die Folgejahre sind immer wieder Konzertveranstaltungen belegt, in denen den Zuhörern gelegentlich ein rein instrumentales Programm zugemutet wird. Wenn dem Publikum im August 1776 von einem mit über 40 Personen besetzten Orchester gleich vier neue Sinfonien Bachs nacheinander geboten werden, darf man freilich bezweifeln, dass es sich um eine Veranstaltung öffentlichen Charakters gehandelt haben könnte; denn für ein solches Konzentrat war ein größerer Hörerkreis nicht ohne weiteres zu begeistern. Bach selbst bezeichnet diese Orchestersinfonien für zwölf obligate Stimmen bei aller Bescheidenheit als *das größte in dieser Art, was ich gemacht habe*[113]; und in der Tat gefallen die Werke ebenso durch gelegentlich an Schroffheit grenzende Originalität wie durch eine delikate Bläserbehandlung. Bereits das Hauptthema der ersten Sinfonie in D-Dur Wq 183.1 lässt erahnen, welche Überraschungen auf die Hörer warten: Es besteht im Wesentlichen aus einem einzigen, in wachsender Beschleunigung wiederholten Ton. Kaum minder aufregend sind die drei Jahre zuvor im Auftrag des Barons van Swieten komponierten sechs Quartettsinfonien Wq 182: Der Besteller hatte Bach ausdrücklich dazu aufgefordert, seiner Phantasie keine Zügel anzulegen.

Schon in seiner Berliner Zeit hat Bach fast drei Dutzend Konzerte für ein Soloinstrument und Orchester geschrieben, vor allem solche für Cembalo. Da wir keine Anhaltspunkte dafür haben, dass Friedrich II. seine Kompositionen geschätzt hat, dürfen wir nicht erwarten, dass sie ihm allesamt zu Ohren gekommen sind. Doch es gibt ja auch Hofkonzerte in Abwesenheit des Königs; außerdem bieten die Privatkapellen von Mitgliedern des Königshauses weitere Aufführungsmöglichkeiten. Große öffentliche Beachtung finden freilich erst die sechs Cembalokonzerte Wq 43, die Bach in seiner Hamburger Zeit komponiert und im Jahr 1772 veröffentlicht. Er bezeichnet sie selbst als *leicht* und achtet darauf, dass sie auch ohne den Orchesterpart darstellbar sind.

«Monsieur, Ich bin Franzose. Ich heiße Diderot. Ich genieße in meinem Land einige Anerkennung als Schriftsteller. Ich bin der Autor einiger Theaterstücke, von denen der ‹Hausvater› Ihnen vielleicht nicht unbekannt ist. Ich bin außerdem der Herausgeber der Enzyklopädie. Ich bin Verehrer Johann

[Christian] Bachs, und seit langem hat meine Tochter, die Ihre Kompositionen spielt, mich gelehrt, Sie zu bewundern. Ich habe nur dieses einzige Kind. Sie ist eine gute Klavierspielerin und kennt die Harmonielehre so überaus gründlich, wie man sie im Allgemeinen nicht zu kennen pflegt, wenn man kein professioneller Musiker ist. Als Johann [Christian] Bach ihr ein Klavier aus London schickte, sandte er gleichzeitig eine Sonate von eigener Komposition mit.» Gerade mit der Extrapost aus Petersburg in Hamburg eingetroffen, schreibt dies unter dem 30. März 1774 der berühmte Aufklärer. Leider ist er, wie es in dem alsbald im französischen Original vom Hamburger «Corespondenten» abgedruckten Brief weiter heißt, «ohne jede andere Bekleidung als mit meinem Hausrock unter dem Pelzmantel; anderenfalls hätte ich nicht verfehlt, einen so berühmten Mann wie Emanuel zu besuchen.»[114] So muss die Bitte um unveröffentlichte Sonaten für seine Tochter per Boten übermittelt werden.

Diderot ist schon seit längerem ein Bewunderer der Musik Carl Philipp Emanuel Bachs. Was er in der erst seit 1805 in der deutschen Übersetzung von Goethe im Druck zugänglichen, aber schon in den 1760er Jahren konzipierten Satire «Le Neveu de Rameau» von Musik erwartet, könnte auf den am Klavier phantasierenden Carl Philipp Emanuel gemünzt sein, obwohl es hier auf die Oper bezogen ist: «Die Leidenschaften müssen stark sein. Die Zärtlichkeit des lyrischen Poeten und des Musicus muß extrem sein. [...] Wir brauchen Ausrufungen, Interjektionen, Suspensionen, Unterbrechungen, Bejahungen, Verneinungen, wir rufen, wir flehen, wir schreien, wir seufzen, wir weinen, wir lachen von Herzen.»[115]

Bachs Reaktion auf Diderots Ansinnen fällt freundlich aus: Er scheint ihm die Sonate E-Dur (Wq 65.29) zur Kopie angeboten zu haben. Der Franzose fühlt sich gleichwohl etwas herablassend behandelt und setzt in einem zweiten Brief nach: «Da ich nicht die Ehre habe, von Ihnen gekannt zu werden, bin ich gezwungen gewesen, von mir vielleicht etwas weniger bescheiden zu sprechen, als es sich gehört. Ich mußte mich Ihnen empfehlen. Mein Name ist durchaus nicht unbekannt: immer-

hin ist es möglich, nicht ganz so berühmt zu sein wie Sie. Ic]
nehme Ihren Vorschlag an. Setzen Sie einen Kopisten, wenn
nötig zwei, an die Arbeit. Ich werde gern alle Kosten tragen
und wenn, wonach ich bereits fragte, Sie ein Honorar für Ihr
Arbeit wünschen, Monsieur, wird ein hiesiger Kaufmann e
für mich bezahlen. [...] Ich rechne mit Ihrem Versprechen. E
reicht nicht aus, ein Genie zu sein, man muß sein Wort auc]
pünktlich einhalten.»[116]

Carl Philipp Emanuel Bach wohnt damals im Manardi
'schen Haus in der Neustädter Fuhlentwiete. Charles Burne)
beschreibt ihn als «eher kurz als lang von Wuchs»; er hab
«schwarze Haare und Augen, eine bräunliche Gesichtsfarbe
eine sehr beseelte Miene» und sei «munter und lebhaft im
Gemüth».[117] Dazu passend nennt ihn Johann Heinrich Voß
der im Frühjahr 1774 die Bekanntschaft Bachs macht, «eine)
kurzen dicken Mann, lebhaft feurigen Auges, besonders gefäl
lig im Umgang». Bach sei «stolz, ein Deutscher zu sein; denn
sie haben die einzige, eigentliche, ernsthafte Musik». Voß, jun
ges Mitglied des Göttinger Hainbundes, wird zum Mittagessen
gebeten und beobachtet flink, der Gastgeber habe «eine ge
sprächige Frau, eine zwar unschöne doch wohl conditionirte
Tochter, einen Sohn, der ein Licentiat ist, guten Wein und gu'
Bier. Er tractirte recht stattlich.» Carl Philipp Emanuel spiel
«auf einem Fortepiano vor, das wie Zauberey» klingt, und
nimmt den Gast mit «nach der Rabe, einem Lustort vor Ham
burg, wo wir Caffee tranken und Kegel spielten. Bach erzählte
vieles von Berlin und seinem Vater Sebastian.»[118]

Natürlich gibt es nicht nur den liebenswürdigen Gesell
schafter Bach: Reizbarkeit, Phasen des Unwohlseins und häufi
ge Erkrankungen deuten darauf hin, dass in den Tiefen man
ches Unerledigte schwelt; als empfindlich gegen Kritik ha'
sich der Meister selbst eingeschätzt. Und um aufs Geld zu kom
men: Er sieht unnachgiebig und fast kleinlich darauf, ist abe)
großzügig genug, um nicht nur die verwitwete Halbschwester
Elisabeth Altnickol, sondern sogar den älteren Bruder Wil
helm Friedemann längerfristig zu unterstützen.

Zurück zum Gewährsmann Voß. Er ist dabei, als Bach seien regelmäßigen Besucher Klopstock bittet, «doch auch etwas für seine Kunst bey dem großen Joseph zu thun». Der Komponist spielt damit auf Klopstocks erfolgreiche Widmung einer «Hermannsschlacht» an Joseph II. an, aber auch auf den «Wiener Plan», mit dem Klopstock dem österreichischen Regenten und späteren deutschen Kaiser im Jahre 1768 die Gründung einer Akademie der Wissenschaften und die Einrichtung einer Reichsdruckerei zur Verhinderung von Raubdrucken vorgeschlagen hat. Nachdem der Plan gescheitert ist, kleidet Klopstock seine Vorstellungen in die utopische Idee eines Gelehrtenstaates und stellt diesen in dem Werk «Die deutsche Gelehrtenrepublik» vor. Bach interessiert sich somit für ein Konzept, welches Künstlern und Intellektuellen Einfluss und Anerkennung in einer von Feudalgewalten unabhängigen, aufgeklärten Gesellschaft sichern soll. Voß ist seinerseits entzückt, dem Gespräch beiwohnen zu dürfen und «zwey Männer beysammen zu sehen, denen die Ewigkeit an der Stirne geschrieben steht»[119].

Ein erstaunlicher Mann – dieser Carl Philipp Emanuel Bach: Unzweifelhaft ist er einer der ersten Musiker, wenn nicht der erste überhaupt, der nicht nur als Komponist im engeren Sinne Anerkennung findet, sondern zugleich eine bedeutende Rolle im größeren Künstler-, Literaten- und Theologenkreise spielt. Dafür ist nicht zuletzt der hohe Rang verantwortlich, den die Musik im Zeitalter der Empfindsamkeit – und nicht erst in der Romantik – unter den Künsten einnimmt. Doch Bach tut das Seine hinzu: durch Bildung, allgemeinen Kunstsinn, Verantwortungsbewusstsein, Organisationstalent, gewinnendes Wesen und unendlichen Fleiß. Da noch das notwendige Maß an Nationalstolz hinzukommt, wird er – zumindest im nördlichen Deutschland – zu dem großen Bach seiner Zeit. Als solcher lässt er die Zeitgenossen den Vater vergessen. Man muss zweimal hinschauen, ehe man realisiert, dass die folgende Charakterisierung des Württemberger Geistlichen und Musikästhetikers Carl Ludwig Junker auf ihn und nicht auf Johann Sebastian Bach gemünzt ist: «Wie müßte deutsches originelles Produkt seyn? Körnicht, gründlich, also auch gedacht, und durchgedacht, mit dem stätigen Gepräg eines System: schön, in so ferne Schönheit nicht der letzte Zweck sey muß.»[120]

Aus der allerletzten Lebenszeit Bachs ragen zwei charakteristische Äußerungen hervor. In der schon einmal erwähnten Rezension von Forkels «Allgemeiner Geschichte der Musik» bezweifelt der Komponist, die *so häufig gerühmten Wirkungen der alten Musik* seien in ihrer *Beschaffenheit* begründet: Sollten sie nicht bloße Legende sein, sind sie auf *Nebenumstända* zurückzuführen. Jedenfalls könnte die gegenwärtige Musi gleiche Wirkung tun, *wenn es den neuern Gesetzgebern gefallen hätte, die öffentliche Anwendung derselben einer weisen Aufsicht z unterwerfen, und dadurch ihren Einfluß nicht bloß auf die Ergötzlichkeit, sondern auf die Bildung des sittlichen Charakters ihrer Unterthanen zu leiten.*

Da zeigt sich noch einmal der Philanthrop, der sich im Sinne Klopstocks Regierungen wünscht, die nicht nur *das Glück und Vergnügen einzelner Menschen* fördern, sondern an allgemeiner Menschenbildung interessiert sind.[121] Bach ist selbstbewusst genug, um zu glauben, er selbst habe auf dem Feld der Musik das Seine dazu getan. Doch seiner Wurzeln entsinnt er sich weiterhin. Speziell den Vater nimmt er – in einer anonymen Zuschrift an die «Allgemeine Deutsche Bibliothek» – gegen die Behauptung seines Bewunderers Burney in Schutz: Händel habe Johann Sebastian Bach in der Komposition von Orgelfugen übertroffen: Angesichts solcher Ignoranz kann der Sohn nur den Kopf schütteln.

Den beiden für Bachs Alter charakteristischen Wortdiskursen lassen sich zwei musikalische Produkte an die Seite stellen. Das bekanntere ist die freie Fantasie in fis-Moll (Wq 67) mit dem Titel *C. P. E. Bachs Empfindungen* und der Vortragsbezeichnung *Sehr traurig und ganz langsam* – geradezu ein Tombeau des damals Dreiundsiebzigjährigen auf den heranrückenden eigenen Tod. In ihrer Originalfassung für Clavichord soll gehört sie ganz der privaten Sphäre an; in der – auch Haydn bekannten – Bearbeitung für Cembalo und Violine (Wq 80) richtet sie sich mit einem neuen, versöhnlichen Schlussteil n H-Dur an eine begrenzte Öffentlichkeit. Jede seiner bisher komponierten Klavierfantasien wollte, wie Bach in seiner Klavierschule bemerkt, Affekte erregen und stillen. Doch noch merklicher schießen nunmehr Leben und Schaffen zusammen: Mutig eine Summe aus empfindsamer und Genieästhetik ziehend, trägt der Komponist einen wilden, lang anhaltenden Klagegesang vor. Da zeigt sich nicht länger ein selbstbewusstes Genie im raschen Wechsel seiner Charaktere; da zieht vielmehr ein Künstler seinen bewegenden Schlussstrich.

Das geschieht trotz des improvisatorischen Gestus nicht etwa im Sinne edler Simplizität, sondern mit «höchster Raffinesse des Komponierens» und dem Effekt von «Verwirrung, Bestürzung»[122] – Lebensfazit eines Mannes, der demzufolge kaum nur humorig und gesellig gewesen sein kann? Man denkt an Beethovens späte Klaviersonate op. 110 mit dem «Arioso dolente» nebst zugehöriger Vortragsbezeichnung «ermattet, klagend», vielleicht sogar an seine späten Streichquartette. Denen wohnen freilich im gleichen Maße visionäre Kräfte inne, in dem Bachs Fantasie ein Stück Geschichte abschließt, das in den ersten Jahren nach seiner Geburt mit der «Chromatischen Phantasie» des Vaters begonnen hat. Übrigens hat Hans Werner Henze Bachs letzte Klavierfantasie im Jahr 1982 für Flöte, Harfe und Streicher bearbeitet. Um dieselbe Zeit schreibt er über die Grundreihe seiner Oper «Die englische Katze»: «Sie ist affektgeladen wie die Intervallik in einer Tastensonate von C. Ph. E. Bach oder Haydn, im empfindlichen Stil, aber auch geheimnisvoll und vielgestaltig wie das Seelenleben der Tiere.»[123]

Drei vermutlich für Sara Itzig-Levy in Berlin komponierte *Quartette*[124] für Fortepiano, Flöte und Bratsche (Wq 93–95) aus dem Todesjahr 1788 machen freilich noch einmal deutlich, dass Carl Philipp Emanuel Bach keineswegs nur eine Ära abschließt, sondern bis zuletzt seiner grundsätzlich «experimentellen Haltung» treu bleibt.[125] Dass Ernst Fritz Schmid an dieser Trias den «vollkommenen Durchbruch zum Wiener klassischen Stil» diagnostiziert[126], entspringt allerdings einem Wunschdenken, das Carl Philipp Emanuel Bach möglichst nahe an die Wiener Klassik heranrücken möchte – nicht ohne die geheime Besorgnis, dies müsse misslingen. In der Tat wird der «große Bach» im Laufe der Geschichte an Größe verlieren, obwohl er sich in seiner Zeit sehr wohl mit Joseph Haydn vergleichen kann – an kompositorischem Vermögen und Vielseitigkeit, an Witz und Tiefgründigkeit, an künstlerischem Verantwortungsbewusstsein und gleichzeitigem Talent zur Selbstdarstellung und -vermarktung.

Warum also der Abstand zu diesem, zu Mozart und zu Beethoven? Vordergründig mag die Antwort lauten: Einen Vater und einen Sohn von gleicher Größe kann das Publikum schwer einordnen – es muss in der einen oder anderen Richtung ein Gefälle geben. Doch letztlich geht es um Grundsätzliches: Was den Bach des Genie-Zeitalters bedeutend machte, waren Individualität und Leidenschaftlichkeit à la «Werther», Simplizität im Geiste von Rousseau und Claudius, Blickschärfe auf den Spuren eines Chodowiecki und experimentelle Neugier im Sinne der französischen Enzyklopädisten. Das alles ist vom Individuum her gesehen – wie eine Zeit es sich wünscht, die der Vereinnahmung durch den absolutistischen Gedanken müde ist.

Doch Kunst wird nur dann zu einem die Geschichte überdauernden Mythos, wenn sie eine spezifische Spannung in sich austrägt: diejenige zwischen Individuellem und Allgemeinem, Inhalt und Form, Sinnlichkeit und Geistigkeit. Es gehört zu den Geschenken der Musikgeschichte, dass die Entwicklung nicht – was denkbar gewesen wäre – von Carl Philipp Emanuel Bach zur so genannten Frühromantik führt, dass sich vielmehr zwischen diese homogen aneinander anschließenden Blöcke die Wiener Klassik schiebt. Steht bei Carl Philipp Emanuel Bach und seinen Anhängern das Ausdrucks- und Wirkungsmoment der Musik im Vordergrund, ist es also der Mensch, der die Musik – freilich nach allen Regeln der Kunst – macht, so gründet die Musik der Wiener Klassik in der Dialektik von Ordnung und Ausdruck, von Sein und Wirkung. Dem Bach-Sohn mangelt es nicht an Traditonsbewusstsein – insofern ist er ein würdiger Erbe seines Vaters. Doch zu dessen ge-

chichtstiefem Komponieren wahrt er als Kind des Sensualis-
mus bei aller Nachdenklichkeit Distanz. Mozart und vor allem
Beethoven haben diese erweiterte Perspektive neu für sich entdeckt – im Rekurs auf den Vater, nicht auf den Sohn.

*Hiermit beschließe ich meine Arbeiten fürs Publikum und lege
die Feder nieder*[127], so schreibt der Dreiundsiebzigjährige dem
Astronomen und Musikliebhaber Johann Hieronymus Schrö-
er unter dem 4. November 1787. Es ist nicht seine erste Äußerung dieser Art, wohl aber die letzte: Carl Philipp Emanuel
Bach findet inzwischen nicht mehr den Zuspruch beim Publikum, dessen er für weiteren Ausstoß bedürfte, und lässt deshalb seiner Müdigkeit freien Lauf – sein eigenes Tombeau hat
er ja schon geschrieben. Den Verehrer Johann Jacob Heinrich
Westphal lässt er drei Wochen vor seinem Tod wissen, *am
Podagra u. andren Zufällen sehr krank gewesen* zu sein.[128] Er hat
zwar Hoffnung auf Besserung, stirbt aber am 14. Dezember
1788. Als Todesursache gilt den Angehörigen Brustkrankheit
oder Faulfieber; unter quälenden Symptomen von Gicht hat
er schon etwa seit seinem 30. Lebensjahr immer wieder gelitten. Seine Grabstätte findet er in der Hamburger Michaeliskirche.

Aus dem Nachlass sticht die umfängliche Sammlung von
Musikerbildnissen hervor, die Bach im Laufe seines Lebens
angelegt hat, ferner ein großer Bestand an Musikhandschriften
des Vaters. Dessen Erbe nach Kräften zusammengehalten zu
haben ist ein nicht geringes Verdienst des Sohnes, denn an-
dernfalls würden wir kaum die Hälfte des Œuvres Johann
Sebastian Bachs kennen.

Johann Friedrich Reichardt würdigt in einem Nachruf für
sein «Musikalisches Kunstmagazin» Bachs «Kunstvollkom-
menheit»; Klopstock verfasst die Inschrift für ein Denkmal, auf
dem unter anderem stehen soll: «War groß in der vom Worte
geleiteten Musik, größer in der kühnen, wortlosen.»[129] Zwar
wird das für Hamburg vorgesehene Denkmal nicht ausgeführt,
jedoch ist Bach von der «Musicalischen Societät» in Güstrow
schon 1783, also noch zu Lebzeiten, mit einer Art Denkmal auf
dem Orchesterpodium geehrt worden.[130] Eine von dem Juris-

ten und Musikliebhaber Hans Adolph Friedrich von Eschstruth alsbald ankündigte Biographie kommt gleichfalls nicht ans Licht, jedoch hat der Autor «unsern ersten Classiker der Tonkunst» bereits im Jahre 1784 gebührend gefeiert: «Seine Seele ist ein unerschöpfliches Meer von Gedanken; und so wie das große Weltmeer den ganzen Erdball umfasset und tausend Ströme ihn durchdringen, so umfaßt und durchströmt Bach den ganzen Umfang und das Innerste der Kunst.» [131]

Bereits seit 1781 prangt sein Name in dem von Adam Friedrich Oeser gemalten Deckengemälde im eigens für das «große» bürgerliche Konzert gebauten Gewandhaus in Leipzig: Ein schwebender Genius hält ein offenes Buch mit der Inschrift «Bach», und damit ist zu diesem Zeitpunkt in erster Linie der zweitälteste Sohn gemeint. Während das Deckengemälde längst zerstört ist, kann man eine andere originale Inschrift heute wieder über der Orgel lesen: «Res severa est verum gaudium», das heißt: «Wahre Freude ist eine ernsthafte Angelegenheit». In eins gesehen, machen die beiden Zeugnisse deutlich, was Carl Philipp Emanuel Bach damals zum Musikheros zumindest der nördlichen Hälfte Deutschlands werden ließ. Er steht für eine bürgerliche Kunstauffassung, die sich als Leitbild den genialen, jedoch nicht verwirrten, sondern tätig in der Welt stehenden, umgänglichen und geschäftsfähigen Menschen wünscht. Dieser stellt seine Originalität in den Dienst von Volksbildung und sittlicher Veredelung als gemeinsamer Sache eines Bürgertums, das seinen Aufstieg auf Werte wie Kommunikationsfähigkeit, Anstand und Eigeninitiative baut.

Aus anderer Perspektive gesehen: Im bürgerlichen England des 18. Jahrhunderts kommt durch Vermittlung Shaftesburys das Renaissance-Ideal des «Virtuoso» zu neuen Ehren: So darf sich nennen, wer Ethos, Kunstverstand und herausragende technisch-manuelle Fähigkeiten in sich vereint. Es liegt nahe, den übrigens auch in London hoch geschätzten Carl Philipp Emanuel Bach in diesem Sinne einen «Virtuoso» zu nennen.

Wer sich mit Ernsthaftigkeit aus den Fesseln des Absolutismus befreien will, verachtet den Luxus der feudalen Oper benso wie die Effekthascherei der reisenden Virtuosen oder ie vordergründige Komik des italienischen Stils. Er fällt aber uch nicht auf naive Vorstellungen von Natürlichkeit herein, ondern gestattet der Musik die individuellen Eskapaden, die ich im Klavierwerk Carl Philipp Emanuels immer wieder fin- .en. Er erfreut sich auch an ausdrücklicher kompositorischer \rbeit – wenn des Guten nicht zu viel getan, das Erhabene ıicht verdunkelt und das Anmutige nicht zerpflückt wird.)enn eins bleibt wie zuvor: Musik ist Freude und Erquickung ıach getaner Arbeit, Einkehr und Gotteslob zwischen den ;türmen des Lebens.

Das alles hat drei Komponenten – eine politische, eine na- ionale und eine religiöse. Politisch gesehen ist Bach nicht nur 'reund und Zeitgenosse des Anakreontikers Gleim, sondern uch des Aufklärers Lessing, welcher sich nicht von ungefähr ɩm liberalen Stadtstaat Hamburg um den Aufbau eines deut- chen Nationaltheaters müht und mit «Emilia Galotti» einen

»ass Gotthold Ephraim essing (Gemälde von ınton Graff, 1771) sich uch zu musikalischen ragen recht kompe- ent äußern konnte, erdankte er vermut- ch dem Beistand des ⁊amburger Bach, da- ıals wohl bekannter ls Lessing. Immerhin erglichen manche .eitgenossen den chöpferischen Genius ⁊achs mit demjenigen ⁊akespeares. Ob ⁊akespeare-Verehrer essing ähnlich ge- ⁊acht hat, ist nicht be- annt. Sicher ist je- ⁊och, dass sich die ⁊eiden durch ihre Ver- ntwortung für eine ıationale Kunst ver- ⁊unden fühlten.

flammenden Aufruf gegen Fürstenwillkür schreibt. Obwohl lange Jahre in königlichen Diensten, deren er sich später keineswegs schämt, ist auch Bach allen seinen Äußerungen zufolge ein Aufklärer; und was er in den Klaviersonaten schon der Berliner Zeit abhandelt, mag man nicht zuletzt als Aufstand gegen den traditionellen Geschmack deuten, dessen höfische Glätte je länger je weniger auf der Höhe der Zeit ist. An diesem Punkt kommt die nationale Komponente ins Spiel: Nur ein Angehöriger der deutschen Nation ist recht eigentlich in der Lage, den Wahlspruch «Res severa est verum gaudium» in Kunst umzusetzen. Die deutschsprachigen musikästhetischen Schriften der Zeit geben allenthalben zu verstehen, dass man der französischen und welschen Musik müde ist und nach einem nationalen Heros lechzt – um ihn in Carl Philipp Emanuel Bach zu finden. In dessen Werk spielt schließlich auch das religiöses Moment eine nicht zu unterschätzende Rolle. Es erschöpft sich allerdings noch weniger als bei seinem Vater im Dienst an der Kirche und ist nicht einmal als Weg zu Gott zu verstehen. In letzter Konsequenz dieser enthusiastischen, zukunftsfreudigen Generation bedeutet jeder emphatische Umgang mit Musik eine Feier des Göttlichen im Menschen selbst. Die Musik weist den Weg, wie man inmitten rationaler Zwänge zu tief gegründeter, gefühlsmächtiger und ausdrucksstarker Selbstdarstellung findet.

Der unscheinbare Virtuose: Johann Christoph Friedrich Bach

Von der Leipziger Jugendzeit des dritten namhaften Bach-Sohns wissen wir wenig. Johann Christoph Friedrich wird am 21. Juni 1732 – drei Monate später als Joseph Haydn – geboren als sechzehntes Kind von Johann Sebastian, neuntes von Anna Magdalena. Als er ins lernfähige Alter kommt, sind die drei älteren Stiefbrüder – Wilhelm Friedemann, Carl Philipp Emanuel und Johann Gottfried Bernhard – schon aus dem Haus, sodass die Eltern sich seiner musikalischen Ausbildung noch einmal mit aller Sorgfalt widmen können. Außerdem sorgt der Verwandte Johann Elias Bach als Hauslehrer für «eine solide und treue Unterweisung», welcher Johann Christoph Friedrich und der acht Jahre ältere, geistig etwas langsame Bruder Gottfried Heinrich «höchstnöthig bedürffen».[132] Am Ende des zweiten Notenbüchleins der Anna Magdalena finden sich Regeln zur Aussetzung des Generalbasses – zunächst von Johann Christoph Friedrich in unvollständiger Form, danach von der

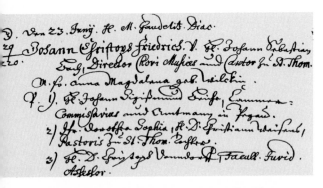

Eintrag im Taufbuch von St. Thomas in Leipzig für Johann Christoph Friedrich Bach. Die als zweite genannte Patin war die Tochter von Bachs Beichtvater Christian Weise.[133]

Ob das von Georg David Matthieu stammende Ölbild (um 1775) tatsächlich Johann Christoph Friedrich Bach zeigt, ist ein wenig umstritten. Jedenfalls gibt es Ähnlichkeiten sowohl mit Carl Philipp Emanuel als auch mit Johann Christian.

Mutter in fünfzehn Punkten ausführlicher niedergeschrieben. Damals ist der Sohn am Klavier noch ein Lernender; später wird ihn Wilhelm Friedemann Bach als «den stärksten Spieler» unter den vier Brüdern bezeichnen; namentlich habe er «seines Vaters Claviercompositionen am fertigsten vorgetragen».[134] Es ist daher wohl kein Zufall, dass dieser ihm noch zu Lebzeiten ein Tasteninstrument vermacht.

Gelegentlich hilft der Sohn beim Ausschreiben von Noten; so findet man seine Handschrift neben derjenigen des Vaters im Aufführungsmaterial zur Trauungskantate «Dem Gerechten muß das Licht» BWV 195. Ein früh begonnenes Jurastudium dürfte er nicht lange betrieben haben: Als sich der Tod des alten Bach abzeichnet, hält man nach einer Erwerbsstellung Ausschau und findet sie in Bückeburg. Dort residiert Graf Wilhelm von Schaumburg-Lippe, welcher 1748 als Vierundzwanzigjähriger die Regierung angetreten und die Neuorganisation

eines Hofstaats in Angriff genommen hat. Als erklärter Liebhaber italienischer Musik reist er zur Rekrutierung fähiger
Musiker schon bald nach Ita-
lien. Zum Leiter der neu or-
ganisierten Kapelle, die ein-
schließlich der zur Militärmu-
sik gerechneten «Oboisten»
etwa fünfzehn Köpfe zählt, bestimmt er den aus Venedig
stammenden Geiger Angelo
Colonna. Hofkomponist wird
dessen Landsmann Giovanni
Battista Serini, ein Schüler des
Opernkomponisten Baldassa-
re Galuppi; er schreibt für den
Grafen fleißig Sinfonien, Konzerte und Arien.

> Aus dem Herbst des Jahres 1748
> stammt ein Eintrag von Johann
> Christoph Friedrich Bach in das
> Stammbuch eines Freundes.
> Unter dem Motto «Musica nostra
> amor» schreibt der Sechzehn-
> jährige:
>
> «Wilstu einen Freund erkennen,
> mustu ihn erst trunken sehn,
> zweytens wenn der Zorn wird
>   brennen
> oder wird ‹piano› gehn.
> Drittens wenn dich Unglück trückt
> Ob die Freundschaft unverrückt.»
> Nach: Bach-Jahrbuch 1963/64, S. 62

Während eines Besuchs am Hof Friedrichs des Großen
scheint dem Grafen die Idee vermittelt worden zu sein, auch
einen der Söhne Johann Sebastian Bachs zu engagieren. Jedenfalls geht Ende 1749 ein entsprechendes Schreiben aus Bückeburg an Vater Bach in Leipzig, begleitet von einem «kostbaren
Andencken»[135]. Offenbar ohne weitere Rückfragen und sicherlich hochzufrieden darüber, seinen Johann Christoph Friedrich bis auf weiteres versorgt zu wissen, schickt Johann Sebastian den Siebzehnjährigen auf die Reise nach Bückeburg. Im
Gepäck befindet sich eine von der Mutter mit liebevoller Widmung versehene Bibel nebst einem von Johann Sebastian Bach
aufgesetzten, von anderer Hand kalligraphisch niedergeschrie-
benen Brief: «Übersende hiermit meinen Sohn, und wünsche,
daß er im Stande seyn möge, Ew. Hoch-Reichs-Gräflichen Gna-
den vollkommene Satisfaction zu verschaffen.»[136] Am 3. Januar 1750 erhält der neue Hofcembalist 25 Taler aus der Schatul-
le des Grafen – Lohn für die drei ersten Monate.

Wie sein Vorbild Friedrich der Große verbindet der Bückeburger Regent militärische mit musikalischen Interessen. Einerseits ist er in der Kriegswissenschaft bewandert, für die Ein-

richtung der allgemeinen Wehrpflicht engagiert und an artil
leristischen Erfindungen beteiligt; im Siebenjährigen Krie
wird er eine Zeit lang das englisch-portugiesische Heer befehli
gen. Anderseits spielt er das Klavier «vollkommen»[137]; un
einmal nicht in Kriegsgeschäften unterwegs, dirigiert er be
Gelegenheit das Abendkonzert. Solche Musikliebe schließ
nicht aus, dass der Graf den Beginn des einen oder andere
Konzertabends durch ausgedehnte Gespräche verzögert ode
sich während einer Aufführung unterhält.

Als Friedrich der Große im Jahr 1751 in Begleitung seine
Cembalisten Carl Philipp Emanuel Bach zu einem Besuch
beim Grafen Wilhelm weilt, schwelgen die Fürsten sicherlich
vor allem in italienischer Musik. Derweilen mögen sich die
beiden Halbbrüder darüber verständigt haben, was eine solche
Orientierung im Vergleich zum «vermischten» deutschen Ge
schmack wert sei, den sie selbst favorisieren. Der ältere Brude
hat eine Widmungskomposition für den Grafen Wilhelm im
Gepäck: das berühmte *Gespräch zwischen einem Sanguineus un
einem Melancholicus*. Doch auch der jüngere ist in dieser Zei
bereits ein tüchtiger Komponist: Sollte das Cembalo-Konzer
E-Dur BR C 37, wie neuerdings vermutet, schon um 1749 i
Leipzig entstanden sein, so wäre es ein erstaunlich fertige
Werk, wenn auch gelegentlich merklich in der Tradition de
«Italienischen Konzerts» vom Vater geschrieben.

Im Jahre 1755 heiratet Johann Christoph Friedrich Bach
die gleichaltrige Lucia Elisabeth Münchhausen, Tochter de
Hoforganisten Ludolf Münchhausen, der Bückeburger Bürge
und Hausbesitzer ist und deshalb weniger als einige seiner Kol
legen vor periodisch drohender Gehaltreduzierung oder Ent
lassung zittern muss. Der Graf schenkt dem Paar einen Garten
vor dem Mindener Tor – frei von Lasten aller Art. Ehefrau Lu
cia Elisabeth ist Gesangsschülerin Serinis; sie darf ihr Engage
ment nach der Eheschließung beibehalten. Denkbar, dass ih
die Altpartien in den Kantaten und Oratorien ihres Mannes zu
gedacht sind. Dem Paar werden bis zum Jahr 1772 insgesam
acht Kinder geboren, von denen allerdings nur drei Töchte
und ein Sohn die Eltern überleben.

Die Wirkungsstätte von Johann Christoph Friedrich Bach:
Schloss Bückeburg, Goldener Saal mit Prunkportal vom Anfang
des 17. Jahrhunderts

Der Vater streckt im Laufe der Zeit die Fühler nach beruflichen Alternativen aus. Als während des Siebenjährigen Krieges im Jahre 1757 die Franzosen in Bückeburg einmarschieren, muss sich sein Dienstherr Graf Wilhelm für eine Weile auf das Gut Niensteden an der Elbe zurückziehen. Dem ihn begleitenden Kammermusiker Bach gibt dies Gelegenheit zur Sondierung im Hamburger Raum. Wieder in Bückeburg, bewirbt er sich um die vakante Organistenstelle an der Hauptkirche in der damals dänischen Stadt Altona. Dort gilt er als «ein großer Meister auf der Orgel und Clavier, der seines gleichen darinne wenig hat, auch ein starcker Compositeur» und wird tatsächlich berufen.[138] Sein fürstlicher Dienstherr verspricht ihm daraufhin «jährlich 500 rthl: freye Tafel, Wohnung, Feurung u. Licht» und die Ernennung zum Konzertmeister.[139] Zu solchen Lockungen kommt die Drohung, die Kapelle aufzulösen und damit den Schwiegervater und einen weiteren Anverwandten in Schwierigkeiten zu bringen.

Zumal das Amt in Altona nicht sonderlich attraktiv gewesen sein kann, muss Bach also nicht viel darüber nachdenken, ob ihn Stadtluft freier gemacht hätte: Im März 1759 sagt er ab und beerbt stattdessen die beiden italienischen Kollegen, die schon drei Jahre zuvor aus bisher unbekannten Gründen Bückeburg verlassen haben. Er ist nun Leiter der Kapelle, jedoch ohne Rang und Gehalt eines Kapellmeisters, und muss deshalb weiterhin um eine ausreichende Versorgung kämpfen. 1761 kommt er in aller Devotion darum ein, *daß, da Euw Hoch-Reichs-Gräfl. Erlauchten mir unter andern freyen beneficiis, auch frey Licht, gnädig accordirt haben, ich aber jetzo wöchentlich nur 4 Lichte, womit ich kaum 3 Tage auskommen kan, bekomme; Höchstdieselben allergnädigst geruhen möchten, dero hohe ordre dahin gnädigst zu ertheilen, daß mir mein benöthigtes Licht, wenigstens täglich ein Stück, von Hoch-Gräfl. Küch-Stube gereichet werden müßt. Der ich in Hoffnung Gnädigster Erhörung, mit tiefster Ehrfurcht ersterbe.* [140]

Ein in ähnlichem Ton gehaltener Brief findet sich in den Hofkammerakten unter dem Jahr 1771: *Ew Durchl. werden sich noch zu erinnern geruhen, daß vor einigen Jahren das mir huldigst zugeteilte Holtz bis auf 12 Klafter eingeschränckt worden. Ich habe den Versuch gemacht, meine Oeconomie so einzurichten, daß ich mit diesen 12 Klaftern auskommen möchte; allein ich habe dabey die Unbequemlichkeit, daß ich nur einen Ofen heizen*

Die Bach-Söhne – Stichjahr 1762: Johann Christian hat in Neapel galante Abenteuer und lässt sich und seine Oper *Alessandro nell'Indie* feiern; er ist auf dem Absprung nach London, wo ihn neue Erfolge erwarten. Johann Christoph Friedrich darf sich inzwischen Konzertmeister nennen; er wird mit Licht und Holz knapp gehalten, komponiert aber energisch. Carl Philipp Emanuel sehnt sich vom Potsdamer Hof fort, ist derweilen jedoch alles andere als untätig: Die Jahreszahl 1762 tragen Veröffentlichungen wie *Oden mit Melodien, Musikalisches Mancherley* und der zweite Teil der berühmten Klavierschule. Wilhelm Friedemann führt Verhandlungen mit dem Landgrafen von Hessen über die freie Hofkapellmeisterstelle in Darmstadt, kann sich aber zu keiner Entscheidung durchringen, obwohl ihm sein Amt in Halle offenbar keine Freude macht.

kann, und meine Arbeiten in dem nemlichen Zimmer, wo meine gantze Familie versamlet ist, verrichten muß. Ew. Durchl. werden aber selbst gnädigst zu beurteilen geruhen, daß die composition der Music bey dem Geräusch verschiedener Gegenstände nicht den gewünschten Erfolg haben könne.[141]

Tatsächlich ergeht die Anweisung, jährlich drei Klafter zuzulegen, und wir können nur hoffen, dass Johann Christoph Friedrich Bach nunmehr zeitweilig in einer eigenen Stube komponieren kann – ungestört von seinen kleinen Kindern. Als die älteste Tochter mit einundzwanzig Jahren heiratet, muss er noch einmal um einen Vorschuss von 100 Talern einkommen, um seine *um ein großes derangirten* Einkommensverhältnisse wieder in Ordnung bringen zu können.[142] Das alles klingt ein wenig provinziell, und in der Tat lässt sich Johann Christoph Friedrich Bach kaum zum Weltmann stilisieren. Wohl nicht von ungefähr rühmt der Nekrolog des Bückeburger Konsistorialrats und Musikkenners Karl Gottlieb Horstig den «soliden Charakter des braven Tonkünstlers». Weiter heißt es: «Rechtschaffenheit und Seelengüte machten seine Hauptbestandteile aus. Hiermit verband sich eine Dienstfertigkeit und Gefälligkeit, die ihresgleichen unter den Künstlern seiner Art selten findet.»[143]

Freilich sollte man Bach nicht zu einem subalternen Hofbeamten stempeln. Immer wieder einmal drängt es ihn aus der Enge Bückeburgs in die Welt. So reist er im Oktober 1766 nach Hannover, um ein Konzert in der «London Schänke» zu geben; auf dem Programm stehen italienische Kantaten und ein neues Klavierkonzert.[144] Ein Jahr später bewirbt er sich sich um das angesehene Hamburger Kantorat, ohne allerdings gegenüber seinem Halbbruder Carl Philipp Emanuel eine nennenswerte Chance zu haben.

Freilich ist die Tätigkeit am Hof keineswegs eintönig: Bach hat nicht allein die Kapelle zu leiten, sondern auch für deren Repertoire zu sorgen. Zwar wird die vom Grafen bevorzugte Musik im italienischen Geschmack zu einem großen Teil in Notendrucken und handschriftlichen Kopien anderer Meister angeschafft, doch auch der Konzertmeister selbst schreibt

fleißig: Klavierkonzerte, Sinfonien, Quartette, Trios und Solo
kantaten. Unter den Letzteren ist eine ganze Serie auf Texte des
berühmten Opernlibrettisten Pietro Metastasio. Die Vertonun
gen sind bis auf eine Einzige – *L'Inciampo* – untergegangen.
Bach selbst konnte sie nicht weiterverbreiten oder auch nur
zusammenhalten, da sie für den Fürsten komponiert waren
und ihm nach gängiger Praxis geradezu gehörten. Tatsächlich
fand Wilhelm an den Metastasio-Kantaten ein solches Gefal
len, dass er einige ihrer Texte im Jahr 1770 beim Hofbuch
drucker Johann Friedrich Althans erscheinen lässt.

Kompositionsgeschichtlich gesehen ist die erhaltene Kan
tate *L'Inciampo* ein interessanter Fall: Bach hat sie nach dem
Vorbild einer Komposition von Johann Adolph Hasse über den
selben Text komponiert. Das gilt nicht als Plagiat; vielmehr is
es damals eine gängige Praxis, beliebte Werke zum Ausgangs
punkt für Neuschöpfungen zu wählen, die am Grundmuster
des Originals festhalten, es aber zugleich mit neuen Zügen aus
statten. Ein solches Verfahren stellt sicher, dass Komponisten
wie Johann Christoph Friedrich, die den italienischen Stil nicht
mit der Muttermilch aufgesogen haben, sich darin mit zuneh
mender Sicherheit bewegen können. Übrigens hat der Bücke
burger Bach im Zuge diesbezüglicher Anforderungen auf dem
Feld der italienischen Solokantate eine interessante Entwick
lung durchgemacht: Während die vermutlich bereits bald
nach der Ernennung zum Konzertmeister komponierte Arie
Luci amate, ah non piangete BR G 1 kaum mehr als eine Bearbei
tung eines gleichnamigen Stücks von Matteo Capranica ist,
zeigt *L'Inciampo* schon viele selbständige Züge. Die eindrucks
volle Kantate *Cassandra* BR G 46 erweist sich schließlich als
ganz und gar originell: Ein 45 Jahre älteres Werk von Alessan
dro Marcello über denselben Text taugt nur noch für einige Re
miniszenzen.[145]

Ein offenbar herzliches Verhältnis entwickelt Johann
Christoph Friedrich Bach zu der jungen, dem Pietismus nahe
stehenden Gräfin Marie Barbara Eleonore zur Lippe-Biester
feld, die im Jahre 1765 als Gattin des Grafen Wilhelm in Bücke
burg Einzug hält und bis zu ihrem Tod im Sommer 1776 dem

Zum Dienstherrn hatte Johann Christoph Friedrich Bach
förmliche, zu dessen Gattin vielleicht etwas herzlichere
Beziehungen: Graf Wilhelm und Marie Barbara Eleonore
Gräfin zu Schaumburg-Lippe. Kopien der im Zweiten Weltkrieg
zerstörten zeitgenössischen Porträts von Johann Georg Ziesenis

Hofleben ein Element von Feinsinnigkeit und gefühlshafter
Religiösität hinzufügt. Vielleicht unter ihrem Einfluss wendet
sich Bach der Gattung des geistlichen Oratoriums und den damals beliebten Libretti von Johann Friedrich Wilhelm Zacha-
riae und Karl Wilhelm Ramler zu: Bis 1773 entstehen *Die Pilgrime auf Golgatha, Der Tod Jesu, Die Auferstehung und Himmelfahrt Jesu* und *Die Hirten bei der Krippe Jesu.* Doch damit nicht
genug: Seit 1771 verfügt der Bückeburger Hof mit dem Konsistorialrat Johann Gottfried Herder über einen Dichter, der seine
Kantaten- und Oratorienlibretti auf aktuelle Ereignisse aus-
richten kann. In diesem Sinne ist *Die Auferweckung Lazarus'*
Herders Antwort auf den herben Verlust, den Marie Barbara
Eleonore im Frühjahr 1772 durch den Tod ihres geliebten Zwil-
lingsbruders erlitten hat. Die von Herder als «lieb, sanft,
himmlisch» [146] bezeichnete Gräfin fühlt sich durch das «Bibli-
sche Gemälde» Herders in besonderem Maße getröstet – ebenso durch die zugehörige Musik von Johann Christoph Fried-

Johann Gottfried Herder war vielleicht kein großer Verehrer der Musik von Johann Christoph Friedrich Bach, jedenfalls aber dessen literarischer Partner am Bückeburger Hof, wenn es um die Schöpfung von Kantaten und Oratorien ging. Gemälde von Anton Graff, 1785

rich Bach, dem sie in einem sehr persönlich gehaltenen Schreiben für «so manche selige Vorempfindung […] einer bessern Welt dankt»[147].

Herders Lazarus-Dichtung ist – gleich seinen anderen Libretti – von vornherein auf eine Vertonung hin konzipiert; so fordert er in seinem Textbuch zum Beispiel «klagende Zwischenakzente der Musik» als Vorbereitung der Auferweckungsszene. Sicherlich hat es am Bückeburger Hof ein Zusammenspiel von Dichter und Komponist gegeben. Man sollte jedoch vorsichtig sein, dies zu einer Sternstunde hochzustilisieren. Bach wird Herder zwar als Repektsperson, aber als unbeschriebenes Blatt auf dem Feld der Oratoriendichtung angesehen haben; und Herders philosophische und musikästhetische Ambitionen dürfte er nur in Maßen nachvollzogen haben.

Umgekehrt ist nicht überliefert, dass Herder von Bachs musikalischer Kunst begeistert gewesen wäre; in diesem Fall hätte er seine Dichtung «Brutus» wohl nicht Christoph Willibald Gluck zur Vertonung angeboten, nachdem sie gerade mit der Musik Bachs am Bückeburger Hof erklungen war. Dessen Vertonung BR G 52 ist – ebenso wie diejenige eines Herderschen «Philoktet» BR G 53 – verschollen; jedoch darf man vermuten, dass sie nach Art eines Melodrams Textrezitation mit instrumentaler Affekt- und Charakterzeichnung verknüpft hat. Jedenfalls ist Bach für Herder kein exklusiver Gesprächspartner; sein damaliges musikdramatisches oder ästhetisches Credo trägt dieser in einem ausführlichen, allerdings niemals beantworteten Brief dem berühmteren Gluck vor: Musik und Dichtung sollen nicht als Konkurrenten, sondern arbeitsteilig als Geschwister agieren. Wie Herder angesichts des von ihm «Drama zur Musik» genannten «Brutus» darlegt, ist der Text nicht mehr als «Fachwerk und Netz»; er soll «den rührenden Körper der Musik beleben und diese soll sprechen, handeln, führen, fortsprechen, nur dem Geiste und dem Umriss des Dichters folgen».[148] Damals bezeichnet Herder die Empfindungen, welche wortlose Musik auszulösen vermag, als noch zu «unbestimmt»; in späteren Jahren wird er der frühromantischen Vorstellung vom absoluten Wesen der Musik die Wege ebnen.

Interessanterweise hat Johann Christoph Friedrich Bach während Herders Bückeburger Zeit seinerseits einen auswärtigen Partner für musikästhetische Fragen: den Dichter Heinrich Wilhelm von Gerstenberg. Nach dessen «Lied eines Mohren» komponiert er im Jahre 1773 eine Kantate, die unter dem irreführenden Titel *Die Amerikanerin* (BR G 47) ihren Weg macht und sogar im Druck erscheint. Gerstenberg, nach ei-

Er liebte die Musik mit Leidenschaft. Auch wenn ihn niemand hörte phantasirte er auf seinem englischen Pianoforte, welches er aus London mitgebracht hatte. Noch mehr Vergnügen aber machte es ihm, wenn er andere durch seine Phantasieen vergnügen konnte. Den Musiksachverständigen war es eine wahre Freude, ihn spielen zu hören. Er verfolgte jedesmal ein gewisses, bestimmtes Thema, behandelte es aber auf eine so geschickte Weise, dass man den Reichthum der Gedanken, die vertraute Bekanntschaft mit allen Tonarten, den charaktervollen und geistreichen Ausdruck nicht genug bewundern konnte. Hiermit verband er eine beispiellose Fertigkeit der Finger und eine Präzision im Vortrag, die mit jedem Anschlag den Meister verkündete.

Der Bückeburger Konsistorialrat Horstig in seinem Nachruf auf Johann Christoph Friedrich Bach

Diese Zeichnung von Friedrich Rehberg zeigt wohl nicht, wie in der Literatur zu lesen, Johann Christoph Friedrich Bach, sondern vermutlich Johann Sebastian Bach d. J.

gener Aussage ein «Erzliebhaber der Musik»[149], bedankt sich artig für die Vertonung und möchte bei dieser Gelegenheit wissen, «warum unsre Sonaten zwey geschwinde und ein langsamen Satz haben müßen». Das weiß Bach nur mit einem schnippischen *darum* zu beantworten und mit dem nicht gerade überzeugenden Zusatz: *Eben eine Fuge heißt darum Fuge, weil sie nach den vorgeschriebenen Regeln gearbeitet ist.*[150]

Besser schlägt er sich gegenüber dem Ansinnen Gerstenbergs, dessen Dichtung «Cleopatra» zu einer programmatischen Klavierfantasie zu verarbeiten. Johann Christoph Friedrich Bach verweist auf das bereits erwähnte «Gespräch zwischen einem Sanguiniker und einem Melancholiker» und kommentiert die so bezeichnete Sonate von Carl Philipp Emanuel recht nüchtern: *Ohngeachtet der vielen Mühe, welche er sich darinnen gegeben, würde man die Bedeutung eines jeden Satzes nicht fühlen, wenn er seine Meynung nicht dabey in Worten kundt gethan hätte. Und ich glaube unsrer Cleopatra würde es nicht beßer er-gehn.*[151] Gerstenberg blitzt also auch auch beim jüngeren Halb-bruder mit seinen Versuchen ab, Musiker für die Komposition von Tonstücken zu erwärmen, die literarische Sujets ohne er-äuternde Worte abbilden.

Dieser setzt lieber auf die Gattung der empfindsamen So-lokantate. Außer der *Amerikanerin* entstehen in den 1770er Jah-ren *Ariadne auf Naxos* BR G 51 auf einen Text von Gerstenberg sowie *Pygmalion* BR G 50 und *Ino* BR G 48 auf Libretti von Ram-ler. Eher unauffällig sind die gut zwei Dutzend weltlicher Lie-der auf Texte unter anderem von Lessing und Hölty. Die Kanta-te *Ariadne auf Naxos* kommt Herder in Bückeburg im Sommer 1771 zu Ohren; «unendlich gerührt und hier und da recht er-schüttert» zeigt er sich allerdings «mehr vielleicht dem Text und der Situation nach, als immer wegen der Musik».[152]

Doch bei allem denkbaren Abstand geht die Zusammenar-beit zwischen Herder und Bach weiter: mit Kantaten zu Mi-chaelis, Himmelfahrt und Pfingsten BR F 2–4 und den Oratori-en *Die Kindheit Jesu* BR D 5 sowie *Der Fremdling auf Golgatha* BR D 7. Auf *Die Kindheit Jesu* hält die Gräfin ebenso große Stücke wie auf den *Lazarus*: Von beiden Werken schickt sie Kopien an befreundete Höfe in Detmold und Wernigerode – freilich mit der Bitte, diese «himmlische» Musik nicht weiterzugeben, ehe der Komponist sie nicht selbst zum Druck befördert habe.[153] Dies wird freilich nie geschehen; selbst in Handschrift sind nur die Oratorien *Die Pilgrime auf Golgatha*, *Der Tod Jesu*, *Die Aufer-weckung Lazarus'* und *Die Kindheit Jesu* vollständig überliefert. Den *Tod Jesu* hat Bach in Abhängigkeit von Grauns gleichna-migem Oratorium komponiert[154]; die beiden letztgenannten Werke zeigen ihn als einen im empfindsamen Oratorienstil durchaus heimischen, seinem Bruder Carl Philipp Emanuel an großem Atem freilich nicht ebenbürtigen Komponisten.

Indem Bach zu den 1773 und 1774 in Leipzig erscheinen-den beiden Sammlungen geistlicher Lieder von Balthasar Münter, Pastor der deutschen Gemeinde in Kopenhagen, insge-samt 55 Stücke (BR H 6–60) beisteuert, folgt er ganz der Ber-iner Liederschule und ihrem Ideal schlichter Erbaulichkeit.

Hingegen komponiert er in der Motette *Wachet auf, ruft uns die Stimme* BR H 101 merklich in der Tradition der Gattung; die Choralharmonisierung des Vaters zitiert er aus dessen gleichnamiger Kantate sogar wörtlich. Auch die Oratorien enthalten gelegentlich Choräle von Johann Sebastian in originaler Harmonisierung.[155] Der Choral *Ihr Augen, weint* aus dem *Tod Jesu* ist einer Übernahme zwar nicht überführt, aber verdächtig: Er könnte aus einem verschollenen Werk des Vaters stammen.[156] An geeigneten Vorlagen fehlt es dem Bückeburger Bach nicht, denn er hat ja vom Vater reichlich Notenmaterial geerbt – darunter nachweislich Teile des ersten Leipziger Kantatenjahrgangs und das Autograph des «Weihnachtsoratoriums». Manches davon wird er im Laufe der Jahre – möglicherweise aus reiner Großherzigkeit – Carl Philipp Emanuel übereignen, damit dieser in Hamburg eine Art Bach'sches Familien-Archiv aufbauen kann.

Die Regierungsübernahme durch Philipp Ernst von Schaumburg-Lippe-Alverdissen im Jahre 1777 setzt zunächst keine neuen Akzente. Zwar muss Bach einerseits gleich den anderen Musikern eine geringfügige Gehaltskürzung hinnehmen, erhält andererseits aber die Erlaubnis, seinen Bruder Johann Christian in England zu besuchen. Mit von der Partie ist der inzwischen neunzehn Jahre alte Sohn Wilhelm Friedrich Ernst. Der nach seinem gräflichen Paten genannte Älteste soll in London von dem berühmten Onkel lernen, in die Musikwelt eingeführt werden und es vielleicht einmal weiterbringen als der Vater. Doch auch Johann Christoph Friedrich Bach profitiert von dem drei Monate währenden Londoner Aufenthalt: Unter dem neuen Einfluss wandelt sich sein Instrumentalstil ersichtlich zum Kantablen und Klassischen. Außerdem nennt er nun ein Hammerklavier sein Eigen, das er von der Reise mitgebracht hat.

Vielleicht hat die Begegnung mit dem Bruder auch verlegerische Aktivitäten angeregt, wie sie in diesen Jahren verstärkt festzustellen sind. Nachdem Johann Christoph Friedrich Bach bereits 1770 zwei Klaviersonaten BR A 1–2, fünf Tanzsätze BR A 46–50 und allerlei Kammermusik zum «Musikali-

schen Vielerley» des Bruders Carl Philipp Emanuel beigetragen hat, bringt er sieben Jahre später in Riga sechs Sonaten für
Hammerklavier und ein Melodieinstrument BR B 15–20 heraus – gute Gebrauchsmusik und durchaus auf dem Normal-
niveau der anderen Brüder. Unter ihnen ragt die d-Moll-Sonate
BR B 16 durch ein originelles, wenn auch reichlich ausladen-
des Instrumentalrezitativ hervor.

Anfang des Jahres 1785 lässt Bach bei Breitkopf in Leipzig
Sechs leichte Sonaten fürs Clavier BR A 3–8 stechen. Sie sind der
prominentesten unter seinen Klavierschülerinnen gewidmet:
der jungen und kunstliebenden Prinzessin Juliane, die der inzwischen verwitwete Graf Philipp Ernst 1780 als Gattin nach
Bückeburg geholt hat. Nach dem Vorbild von Carl Philipp
Emanuel Bach beschäftigt Johann Christoph Friedrich für den
Vertrieb regionale Kollekteure, unter denen sich auch der eigene Bruder befindet. Indessen entspricht die Zahl der Vorbestellungen nicht den gehegten Erwartungen, und trotz einiger Anstrengungen bleiben von den 600 Druckexemplaren bis zum
Bankrott der Vertriebsfirma so viele unverkauft, dass die Ak-
tion mit einem Fehlschlag endet. Immerhin kann Bach sich
mit einer rühmenden Rezension durch den Kopenhagener Kapellmeister Johann Peter Abraham Schulz trösten: Die Sonaten
seien technisch anspruchsvoller, als es der Titel suggerieren
mag, und einfallsreicher als manche andere Liebhabermusik
der Zeit.

Johann Christoph Friedrich Bach lernt indessen aus dem
kommerziellen Misserfolg: Seine nächste Veröffentlichung ist
ein Magazin mit dem Titel *Musikalische Nebenstunden*. Die vier
Hefte, welche in den Jahren 1787/88 erscheinen, enthalten eine bunte Folge von kürzeren, oft tänzerischen Stücken aus
dem Bereich der Klaviermusik, der Kammermusik und des
Lieds; im Kreis unterschiedlicher Autoren ist der Komponist
selbst mit siebzig Titeln vertreten (BR A 51–120). Das Schwie-
rigkeitsniveau ist deutlich niedriger als in den zuvor veröffent-
lichten Klaviersonaten, aber immer noch beachtlich. Bach,
der sich diesmal über die Vorbestellung von 475 Exemplaren
freuen darf, huldigt nicht allein dem modernen Stil, sondern

Autographe Stichvorlage für Johann Christoph Friedrich Bachs
«Sechs leichte Sonaten fürs Clavier oder Piano-Forte», Leipzig 1785

knüpft zugleich an Kompositionstechniken an, wie er sie in den Inventionen seines Vaters finden kann.[157]

Die 1789 bei Breitkopf erscheinenden *Drey leichten Sona-ten* sind *in London gebohren, wo sie von Ihre Maj. der Königin sehr goutirt wurden*[158]. Bach berichtet dies dem Verleger augen-scheinlich in der Absicht, mit seiner schon erwähnten Eng-landreise Eindruck zu machen und mit einem Spiel vor der Queen, von dem es sonst keine Nachrichten gibt, zu imponie-ren. Dass die Musik *in dem neusten Geschmack gesetzt* ist, wie er weiter mitteilt, ist unleugbar: Der Gestus erinnert weniger an Carl Philipp Emanuel als an Johann Christian Bach und Mo-zart. Einige um 1785–90 komponierte Variationen über «Ah, vous dirais-je, maman» BR A 45 machen in puncto Popularität beachtliche Konzessionen. Bruder Carl Philipp Emanuel hät-te sie wohl als modernes Geklingel abgetan; einen Vergleich mit Mozarts Variationen über dasselbe Lied halten sie nicht aus.

Zu dem Besten, was Johann Christoph Friedrich Bach im Bereich der Klaviermusik geschrieben hat, gehört die Sonate in D-Dur BR A 31. Sie ist als einzige aus einer Serie von etwa sie-ben Sonaten erhalten, welche Bach im Jahre 1789 einem unbe-kannten Kenner in Berlin mit dem Kommentar übersendet: *Sie sind vor mich gesetzt.*[159] Das soll besagen, dass der Komponist sie zu seiner eigenen Genugtuung, ohne Rücksicht auf das Publi-kum, komponiert hat. Nun überlässt er sie für einen Du-katen pro Stück exklusiv sei-nem Auftraggeber, der die Se-riosität der Schreibweise wohl zu schätzen gewusst hat.

Von der Kammer- und Orchestermusik dieses Bach-Sohns haben wir ein recht unvollständiges Bild, da nur weniges im Druck erschienen und das handschriftlich Über-lieferte oft nur durch Zufälle erhalten ist. So finden sich ei-nige frühe Unikate in zwei Musikarchiven der Moravian

Es gibt viele B-A-C-H-Fugen, jedoch nur eine Ausarbeitung des kuriosen Themas H-C-F-B-B-A-C-H, wobei das erste H für Hans und das erste B für Bückeburg steht. Johann Christoph Friedrich Bach hat sie – wohl in scherzhafter Absicht – in ein Stamm-buch eingetragen. Etwas ernster ge-meint ist die Fuge seines Halbbru-ders Carl Philipp Emanuel über C-F-E-B-A-C-H.

Church: Augenscheinlich hat sie Johann Friedrich Peter, ein Mitglied der Herrnhuter Brüdergemeine, in seinem Gepäck gehabt, als er sich nach Amerika einschiffte. Die *Six Concertos* für Klavier und Orchester BR C 31–36 sind zwar – anlässlich des Londonbesuchs Bachs – im Druck erschienen, jedoch erst kürzlich neu entdeckt worden.

Doch trotz der schwierigen Quellenlage zeichnet sich eine Einschätzung ab, die das vorherrschende Bild vom selbst genügsamen Instrumentalkomponisten Johann Christoph Friedrich Bach widerlegt. Dieser beteiligt sich auf beeindruckende Weise an dem geschichtlichen Wandel von der generalbassbegleiteten zur Musik des empfindsamen Zeitalters. So zeigt schon die um etwa 1768 vorliegende Streichersinfonie d-Moll BR C 4 beachtliche Sturm-und-Drang-Leidenschaft und speziell das mittlere «Andante amoroso» empfindsam schöne Züge. Dass sich namentlich nach dem Londonbesuch im Jahre 1778 der Stil zum Klassischen neigt, zeigen die Sonaten mit kammermusikalischer Besetzung BR B 29–35 und die Klavierkonzerte BR C 40 und 41.

Doch damit nicht genug: In den allerletzten Lebensjahren nähert sich Bach ebenso mutig wie versiert der Wiener Klassik auf dem Niveau des reifen Haydn. Exemplarisch für diese späte Ära stehen die leider nur in einer Bearbeitung aus dem späten 19. Jahrhundert überlieferte Violoncellosonate A-Dur BR B 36 von 1789, das Klavierkonzert Es-Dur BR C 43 von 1792 und die Sinfonie B-Dur BR C 28 von 1794. Namentlich die mit Flöten, Klarinetten und Hörnern besetzte Sinfonie lässt die Stilmerkmale, die man gemeinhin für die Bach-Söhne-Generation in Anspruch nimmt, hinter sich zurück; sie ist beinahe als «guter Haydn» zu bezeichnen. Das Komponieren, so stellt man mit einiger Verblüffung fest, ist in der Generation vor Beethoven noch so weit Handwerk, dass ein tüchtiger, mit der Zeit gehender Musiker wie Johann Christoph Friedrich Bach die Sinfonien des mit ihm gleichaltrigen Haydn auf dem gleichen Niveau nachschaffen kann, auf dem er sich eine knappe Generation zuvor auf Wunsch seines Fürsten den italienischen Stil zu Eigen gemacht hatte.

Der herrscht inzwischen nicht mehr unumschränkt am Bückeburger Hof: Seit 1787 führt Gräfin Juliane, zweite Frau des in diesem Jahr verstorbenen Grafen Philipp Ernst, für den minderjährigen Sohn Georg Wilhelm die Regierungsgeschäfte in Bückeburg. Selbst ausübende Sängerin und Klavierspielerin, sorgt sie zusammen mit Bach dafür, dass am Hof neben der Musik von Haydn auch diejenige von Mozart, Ignaz Pleyel, Adalbert Gyrowetz und den Brüdern Wranitzky zu hören ist. Die Kammermusik findet regelmäßig zweimal wöchentlich statt; als Zuhörer sind Einheimische mit Zugang zum Hof und Fremde von Stand zugelassen.

Was die persönlichen Lebensumstände angeht, so scheint sich Bach in den letzten Lebensjahren nicht allzu wohl gefühlt zu haben. Nicht zuletzt leidet er unter dem Tod des ihm eng verbundenen Halbbruders Carl Philipp Emanuel im Jahre 1788 und der daraus erwachsenden Vorstellung, nun als einziger Sachwalter des väterlichen Erbes dazustehen: *Es scheint*, so schreibt er an Breitkopf, *der Würgeengel wolle sich recht in die Bachische Familie einnisten, und ist doch von meinen seel. Vater männlichen Geschlechts Niemand mehr über, als ich und mein Sohn.*[160] Ganz zum Schluss kommt eine Kränkung hinzu, die ein wenig an den Lebensweg des Vaters erinnert: Der Zweiundsechzigjährige muss sich mit einem präsumptiven Nachfolger herumschlagen: dem böhmischen Musiker Franz Christoph Neubauer.[161]

Vom Typus her ein genialischer Hallodri und Schuldenmacher, hat dieser junge Mann in verschiedenen Städten und an Adelshöfen Furore gemacht – unter anderem mit einem sinfonischen Schlachtengemälde «La Bataille de Martinesti», welches den Sieg des Prinzen Friedrich Josias von Sachsen-Coburg-Saalfeld über die Türken am 22. September 1789 schildert. Am Bückeburger Hof kommt es zu Reibereien zwischen dem im Dienst ergrauten Konzertmeister und dem kecken Neuankömmling, welcher alsbald die Kapelle dirigieren darf. Dieses Privileg benutzt er, wie es im Nekrolog heißt, «auf eine so vortheilhafte Weise, daß alle Welt über seine musikalische Execution erstaunte». Und weiter: «Ein genialisches Feuer durchdrang das Orchester, wenn Neubauer dirigierte.»[162] Allerdings ist auch von Kontroversen die Rede, in deren Verlauf Neubauer in «heftigste Invectiven gegen Bachen ohne alle Zurückhaltung» ausbricht und den Rivalen erstaunlicherweise sogar «zu einem musikalischen Zweykampf in Bearbeitung eines Contrapunctischen Thema» herausfordert.[163]

Nähere Umstände des Vorfalls sind nicht bekannt. Wie auch immer – Johann Christoph Friedrich Bach überlebt die Auseinandersetzungen nur für kurze Zeit: Infolge eines «hitzigen Brustfiebers» stirbt er am 26. Januar 1795. Dass den Kompositionen des Bückeburger Bach im Nachruf Horstigs «Simplizität und Würde im Ausdrucke» sowie «ein tiefes, inniges Gefühl» zugesprochen werden[164], kann nicht darüber hinwegtäuschen, dass er damals kaum noch im Bewusstsein der musikinteressierten Öffentlichkeit ist. Diese weiß gelegentlich nur noch von drei berühmten Bach-Söhnen: von Wilhelm Friedemann, Carl Philipp Emanuel und Johann Christian. «Den vierten in Bückeburg rechne ich nicht mit dazu weil der nicht eigentlich zu den [...] Bachen gehört», heißt es lapidar im Kontext einiger Anekdoten über Bach und seine Söhne, die Carl Friedrich Cramer 1793 mitteilt.[165]

Ironie der Geschichte: Auf dem Jetenburger Friedhof in Bückeburg liegt Bach nicht nur gemeinsam mit seiner Frau begraben; vielmehr befindet sich ganz in der Nachbarschaft auch die letzte Ruhestätte seines Nachfolgers. Denn Neubauer, der ihm das Lebensziel so schwer gemacht hat, stirbt noch im Jahr seiner Bestallung – dem Vernehmen nach an den Folgen übertriebenen Alkoholkonsums.

Neuerdings widerfährt Johann Christoph Friedrich Bach verstärkt Gerechtigkeit – einerseits durch die Forschungen Ulrich Leisingers, andererseits durch zahlreiche geglückte CD-Einspielungen. Die Letzteren machen deutlich, dass man dem Bückeburger Bach Unrecht zufügen würde, wenn man ihn als kleinformatige Ausgabe seines weltläufigen, souverän über viele musikalische Gattungen herrschenden und vor allem in der Klaviermusik tief schürfenden Carl Philipp Emanuel abtäte. Es gibt im Werk von Johann Christoph Friedrich, obwohl dieses nur fragmentarisch auf uns gekommen ist, manches

tück, das an Qualität dem Hamburger Bruder das Wasser
eicht. Und – wie schon gesagt: Auf dem ästhetischen Niveau
der reifen Wiener Klassik ist er als einziger der Brüder angekommen. Allerdings nur deshalb, weil Johann Christian Bach,
von dem nunmehr die Rede ist, wichtige dreizehn Jahre vor
ihm gestorben ist.

Das Weltkind:
Johann Christian Bach

Komm doch nach Bückeburg», so wird der Marquis von Keith
in Frank Wedekinds gleichnamigem Drama von seiner provinziell gesinnten Molly unter Druck gesetzt. Doch der Genuss-
mensch, Seiltänzer und Glücksritter denkt bei Bückeburg an
«kleinbürgerliche Sentimentalität» und geht lieber offenen
Auges in den Bankrott.[166] Ein Vergleich mit den zwei jüngsten
Bach-Brüdern drängt sich auf: Haftet an Johann Christoph
Friedrich der Geruch von «Bückeburg», so tendiert Johann
Christian zum «Keith». Auf alle Fälle ist er der Paradiesvogel
unter den Brüdern, und seine Vita erzählt sich am spannends-
ten. In der von Johann Sebastian Bach im Jahr 1735 angelegten
Familienchronik heißt es freilich unter Nr. 50 zunächst ganz
prosaisch: «Joh. Christian Bach, 6ter Sohn Joh. Seb. Bach
nat[us] 1735 den 5ten Sept.»[167] Zwei Tage später findet in der
Thomaskirche die Taufe statt; als Paten fungieren Thomas-
schulrektor Johann August Ernesti, mit dem der Vater damals
noch auf gutem Fuß gestanden haben muss, die Kaufmanns-
tochter Christina Sybilla Bose und der Juraprofessor Johann
Florens Rivinus. Häuslichen Unterricht erhält Johann Christian beim Verwandten Johann Elias Bach; die erste musikalische
Unterweisung erfolgt gewiss durch die Eltern. Im «Notenbüchlein für Anna Magdalena Bach» findet sich gegen Ende ein von
kindlicher Hand eingetragener Marsch – offenbar einer der ersten Kompositionsversuche des Jungen. Ein frühes Autograph
ist auch die Klavierfassung der Polonaise aus der Orchestersui-
te h-Moll BWV 1067, welche Johann Christian im Oktober 1748
in ein Stammbuch einträgt. Einen auf dasselbe Jahr datier-
ten Besitzvermerk von Johann Christian trägt ein in Wien er-
haltenes Druckexemplar der dritten Klavierpartita seines Vaters BWV 827. Sollte der Sohn dieses recht anspruchsvolle
Werk schon als etwa Dreizehnjähriger gespielt haben?

Ein früher Kompositionsversuch von Johann Christian Bach
im «Notenbüchlein für Anna Magdalena Bach»

Die wenigen Informationen, die wir über Johann Christian Bachs Jugend haben, mögen durch eine Anekdote ergänzt
werden, die der Musikästhetiker und -historiograph Christian
Friedrich Daniel Schubart im Jahr 1772 in Schwetzingen aus
dem Munde Bachs gehört haben will: «Man sprach von seinem
großen Vater, und er selbsten gestand, daß er nicht fähig sey,
das zu spielen, was sein Vater gesetzt hatte. Einmal, sagte er zu
[den Hof-]Musikern Cannabich und Wendling, phantasirte ich
auf'm Klavier, bloß mechanisch, und hörte in der Sextquart
auf. Mein Vater lag im Bett', und ich glaubt', er schlief. Aber, er
fuhr vom Bett auf, gab mir eine Ohrfeige, und resolvirte die
Sextquart.» [168] Johann Sebastian Bach kann nicht anders, so der
Tenor der Anekdote, als einer abgebrochenen Improvisation
des Sohns einen ordentlichen Schluss zu verpassen.

Beim Tod des Vaters ist der Jüngste vierzehn Jahre alt; er
hat dem Erblindenden am Ende viel helfen müssen und den
Empfang von fünf Meißnischen Gulden aus dem «Nathani-

schen Legat» für das Absingen eines Sterbeliedes am Sabinen
tag sogar mit dem Namen des Vaters quittiert.[169] Nun geht e
zu Carl Philipp Emanuel Bach nach Berlin – so wie einstmal
der kleine Johann Sebastian zu dem älteren Bruder nach Ohrd
ruf gezogen ist. Ob er die drei Klaviere mitnimmt, die ihm de
Vater noch zu Lebzeiten geschenkt haben soll – ein Casus, mi
dem sich die beiden älteren Halbbrüder bei der Erbteilung
zunächst nicht recht anfreunden wollen. Sie wären schwieri
ger zu transportieren gewesen als die unbestritten zu seinem
Erbteil gehörenden Leinenhemden des Vaters und die «kleine
Coffee-Kanne»[170].

In Berlin dürfte der gewiss schon von seinem Vater in die
Tonkunst eingeführte Johann Christian beim älteren Bruder
weiteren Unterricht erhalten und munter in die Tasten gegrif
fen haben. Bald entstehen die ersten eigenen Werke: Als Bei
träge zu Alben und Almanachen komponiert Johann Christian
Bach Lieder wie *Mezendore, Der Weise auf dem Lande* und *Über
den Verlust seiner Geliebten* W H 1–3, für mögliche Auftritte
als Klaviervirtuose mehrere Cembalokonzerte aus der Reihe
W C 68–77, die schon einige Sicherheit in der Beherrschung des
Metiers zeigen. Ernst Ludwig Gerber gibt in seinem Tonkünst
ler-Lexikon von 1790 an, dass Bachs Darbietungen auf dem
Cembalo damals in Berlin sehr bewundert worden seien.

Sehen wir es pragmatisch: Carl Philipp Emanuel Bach
möchte den Neunzehnjährigen aus dem Haus haben, und die
ser möchte weder auf Dauer beim «Vormund» leben noch
schon jetzt wie sein Bruder Johann Christoph Friedrich nach
einer kleinen Anstellung Ausschau halten. So trifft es sich gut,
dass der ältere Halbbruder die schon erwähnten guten Bezie
hungen zum Fürsten Ferdinand Philipp Joseph von Lobkowitz
unterhält und dass dieser – so die Vermutung Heinz Gärtners –
über seinen als Generalgouverneur in Mailand residierenden
Onkel Kontakte nach Italien vermitteln kann: zum Grafen
Agostino aus der reichen und angesehenen Mailänder Familie
Litta.[171]

Eine romantische Version der Übersiedelung nach Italien,
die vermutlich 1755 stattgefunden hat, überliefert Johann

Nicolaus Forkel, indem er 1783 in einem Nachruf auf Johann Christian schreibt: «In seinen jüngeren Jahren kam er [...] nach Berlin, wo er mit vielen italienischen Sängerinnen bekannt wurde, deren eine ihn beredete, mit ihr nach Italien zu gehen.»[172] Nach der Vermutung des Bach-Forschers Heinrich Miesner ist diese Sängerin mit einer Kontraaltistin namens Anna Lorio di Campo Lungo identisch, welche zu dieser Zeit in ihre italienische Heimat zurückkehrte.

Graf Agostino ist musikliebend, veranstaltet in Mailand Konzerte und gibt dem nur sieben Jahre jüngeren Johann Christian Bach Gelegenheit zu Auftritten. Noch zwanzig Jahre später wird Charles Burney von der Mailänder Instrumentalmusik des Londoner Bach sprechen, die dort nach wie vor aufgeführt werde. Indessen scheint Litta seinem Zögling vor allem die Kirchenmusik anempfohlen zu haben. Weil es dazu eines speziellen Studiums im traditionellen Kirchenstil bedarf, geht Bach zu dem berühmten Musikgelehrten Padre Giovanni Battista Martini nach Bologna. Augenscheinlich entwickelt er ein recht persönliches Verhältnis zu seinem Mentor, welcher einige Jahre später dem jungen Wolfgang Amadeus Mozart zur Aufnahme in die berühmte Accademia filarmonica verhelfen wird. Ist Padre Martini auch verantwortlich dafür, dass Bach im Jahr 1757 zum katholischen Glauben übertritt?[173] Seine Familie hat ihm das wohl kaum verziehen. Jedenfalls wird Carl Philipp Emanuel Bach in späteren Jahren an den Rand der inzwischen vom Vater ererbten Familienchronik zum Namen von Johann Christian hinzusetzen: *Inter nos [unter uns], machte es anders als der ehrliche [vor den Katholiken ins Exil ausweichende Stammvater] Veit.*[174] Indessen ist zu bedenken, dass Johann Christian Bach ohne den Übertritt zum Katholizismus in kein kirchenmusikalisches Amt hätte berufen werden können; und nur ein solches garantierte im damaligen Italien eine Festanstellung.

Das Liceo Musicale in Bologna verwahrt 32 Briefe, die Johann Christian Bach in den Jahren 1757 bis 1762 an seinen Lehrer gesandt hat[175], ferner solche vom Grafen Agostino an Martini. Da die Briefe erst einsetzen, als die Studienzeit im We-

sentlichen beendet ist, geht es zunächst vor allem um den Aus
tausch von Höflichkeiten. Als Dank für seine Bemühungen
um Bach erhält Martini postfrei zehn Pfund «Schokolade des
Hauses» – später mehr – zugesandt und erwidert artig, der Un
terricht mit einem so begabten Schüler wie Bach sei sein
schönster Lohn gewesen.[176] Dieser bittet seinen Lehrmeister
Martini im Frühsommer 1757 um Rat in kompositionstechni-
schen Dingen, da er an einer Totenmesse mit doppelchörigem
«Dies irae» arbeitet: Ist eine bestimmte Folge von Quarten er
laubt, die Bach bei dem *guten alten [Giacomo] Perti* gefunden hat
und muss eine Moll-Komposition unbedingt in Dur enden?[177]

Bald kann Bach seine Totenmesse unter Mitwirkung von
64 Sängern und Instrumentalisten anlässlich des Todes eines
Mitglieds der Familie Litta in kleinerem Kreis vorstellen; es
folgt eine von großer Zustimmung begleitete öffentliche Auf-

Doppelfuge aus einem «Kyrie» von Johann Christian Bach, 1775. Das Autograph befindet sich in der Klosterbibliothek Einsiedeln, die bis vor kurzem als der wichtigste Fundort für die Kirchenmusik des jüngsten Bach-Sohns galt.

führung in San Fedele in Mailand. In den nachfolgenden Jahrzehnten wird sich Bachs Ruf als Kirchenkomponist nicht zuletzt auf die Totenmesse W E 11–12 und das *Gloria* W E 4 gründen.

Frühe Erfolge dürften Johann Christian Bach motiviert haben, in rascher Folge weitere lateinische Kirchenmusik zu komponieren: Kyrie- und Gloria-Sätze, Psalmvertonungen und Hymnen (W E 1–10 und 13–28). Dabei ist zu bedenken: Zur Zeit seiner ersten großen Erfolge ist er nicht älter als zweiundzwanzig und gerade zwei Jahre in Italien. Offensichtlich wünscht sich die Mailänder Gesellschaft auch im traditionellen Bereich der Kirchenmusik einen Jungstar, und Agostino Litta vermag den seinen trefflich zu präsentieren und sogar in den Institutionen unterzubringen: 1760 wird Bach zweiter Organist am Mailänder Dom – nach seiner eigenen Aussage *ein Posten, der*

Unlängst ist jedoch ein Bestand von fünfzehn Autographen mit Kirchenmusik in die Staats- und Universitätsbibliothek Hamburg zurückgekehrt, nachdem er als Folge des Zweiten Weltkriegs fünfzig Jahre lang unbeachtet im armenischen Eriwan gelagert hatte.

mir 800 Lire im Jahr einbringen und mich wenig Mühe Kosten wird.[178]

Die Gehaltszahlungen sind allerdings weitgehend an den pensionierten Vorgänger abzutreten; so mag Johann Christian Bach in der Tat auch den Posten eines Kapellmeisters an der kleineren Mailänder Kirche Santa Maria in Caravaggio angenommen haben, von dem in der Literatur gelegentlich die Rede ist.[179] Kern seiner Beschäftigung ist und bleibt die Leitung des wöchentlichen Konzerts im Hause Litta, das sich weiterhin gern mit dem jungen Komponisten aus Deutschland schmückt. In dem Brief vom 14. Februar 1761, in dem Bach dem Padre Martini von diesen Verpflichtungen berichtet, heißt es zudem: *Ich muß täglich Dinge für Veranstaltungen tun, Symphonien, Konzerte und Kantaten, und das sowohl für Deutschland wie auch für Paris.*[180] Man wüsste gern, was damit gemeint ist.

In seinen italienischen Kirchenwerken zeigt Bach ein beachtliches Maß an Traditionsbewusstsein. Vor diesem Horizont studiert er auf Anraten Martinis, dem er seine Kompositionen weiterhin zur Begutachtung und Verbesserung vorlegt, die Musik Palestrinas und kündigt dem Abbé eine achtstimmige «Kyrie»-Fuge an, die sich allerdings nicht erhalten hat. Doch auch die dem Padre Martini im Brief vom Dezember 1759 angekündigte *Suscipe*-Fuge aus dem 45 Minuten langen *Gloria* G-Dur W E 4 zeugt von erstaunlicher Routine: Bach bringt das Thema nacheinander in Urgestalt und Umkehrung, ohne dass ein Abfall an affektiver Kraft erkennbar wäre. Im Wesentlichen legt er freilich Wert auf einen gefälligen, modernen Stil, die solistischen Partien hören sich bisweilen an wie eine Mischung aus Opera seria und Opera buffa. Das Orchester ist oftmals regelrechter Mitspieler. Von dem genannten *Gloria* ließe sich mit einiger Übertreibung sagen, es handele sich um eine Sinfonia concertante mit eingebauten Gesangspassagen. Doch augenscheinlich kommt gerade diese Mischung an: Die Hörer werden auf vergleichsweise hohem Niveau bedient, ohne doch auf Ohrenkitzel verzichten zu müssen.

Das Stichwort «Ohrenkitzel» verweist auf das künstlerische Doppelleben, das Johann Christian Bach in seiner frühen talienischen Zeit führt. Während er sich – vielleicht auf Wunsch seines Mäzens Litta – der Kirchenmusik verschreibt, wirft er sich zugleich auf die Oper. Das ist zwar für italienische Komponisten nichts Besonderes, für Bach selbst aber offensichtlich so heikel, dass er gegenüber dem Lehrmeister Martini seine entsprechenden Aktivitäten zwar nicht gerade verschweigt, aber doch herunterspielt. So entschuldigt er sich in dem zuletzt genannten Brief für das Ausbleiben eines bereits angekündigten «Te deum» (W E 27): *Ich fürchte, Sie werden mich für jemand halten, der viel verspricht und wenig hält, nachdem ich Ihnen so oft gesagt habe, ich würde Ihnen Arbeiten schicken, die Sie dann nicht erhalten haben. Ich versichere Ihnen, es ist dies keine Sache des Eifers, lediglich der Zeit.* Und weiter: *Ich bin mit einer neuen «Messa» und Vespern für das Fest des heiligen Joseph beschäftigt und habe erst gerade das «Gloria» angefangen [...] Pater Lampugnani, der Eure Grüße an mich weiterleitete, versicherte mir, daß ich nach wie vor Euer Wohlwollen besitze.* [181]

Obwohl Padre Martini keineswegs als Feind der Oper einzuschätzen ist, soll ihm offensichtlich suggeriert werden, Johann Christian Bach säße vor allem über kirchenmusikalischen Arbeiten. Doch zugleich wird auf dezente Weise ein «Pater» ins Spiel gebracht, der ausdrücklich mit weltlicher Musik identifiziert ist: Giovanni Battista Lampugnani, einer der bekanntesten Opernkomponisten seiner Zeit. Er hat 1732 in Mailand angefangen; danach hat ihn seine Profession über Padua, Vicenza, Crema und Rom nach London und Barcelona geführt. Seit 1758 ist er wieder einmal in Mailand ansässig, wo er mit der Buffa «L'Amor contadino» auf einen Text von Goldoni seine erfolgreichste Oper komponiert. Als der vierzehnjährige Mozart im Jahre 1770 als frisch gebackenes Mitglied der Accademia filarmonica aus Bologna nach Mailand kommt, um seinen «Mitridate» aufzuführen, sitzt der inzwischen beagte Lampugnani am zweiten Cembalo, nachdem er die Oper zuvor mit der Primadonna Andrea Bernasconi repetiert hat.

Damals ist Johann Christian Bach längst in England – vielleicht auf Fürsprache Lampugnanis, jedenfalls aber nach seinem Vorbild. Schon 1758, als er selbst bei der Mailänder Oper einsteigt, wird ihn die Karriere dieses Mannes fasziniert haben. Im Januar 1759 «beichtet» er dem Padre, für die laufende Karnevalssaison die Einlage-Arie *Misero pargoletto* W G 21 komponiert zu haben: Vom Grafen Litta höchstpersönlich sei der Auftrag gekommen, dem Sänger Filippo Elisi mit einer neuen Arie unter die Arme zu greifen, nachdem dieser sich in Giovanni Battista Ferrandinis Oper «Demofoonte» stiefmütterlich behandelt gefühlt habe.

Es ist zwar gängige Praxis, dass berühmte Sängerinnen und Sänger während ihrer Opern-Engagements spezielle Arien für ihre geläufige Gurgel fordern, wie Mozart es einmal ausgedrückt hat, aber doch erstaunlich, dass man einen jungen Deutschen dafür engagiert: Mir nichts, dir nichts ist der Zwanzigjährige in enger Tuchfühlung mit einem berühmten, kurz zuvor noch als Mitglied der Farinelli-Truppe in Madrid gefeierten Soprankastraten. Das ist Anlass genug, um sich vom Mäzen Litta zu lösen und sich bei der Oper zu engagieren. Tatsächlich erhält Bach 1760 seine erste «scrittura»: die Oper *Artaserse* auf ein Libretto von Metastasio für das Teatro Regio in Turin. Er hat das Glück, den berühmten Johann Adolph Hasse zu ersetzen. Und als ob das alles ganz selbstverständlich sei, komponiert er in den beiden Folgejahren, wiederum auf Metastasio-Texte, die Opern *Catone in Utica* und *Allessandro nell'Indie* für das noch berühmtere Theater San Carlo in Neapel. Dort ist er unter anderem vom österreichischen Statthalter in der Lombardei, Carl Graf Firmian, als «berühmter Kapellmeister» angekündigt worden. [182]

Ein halbes Jahr nach diesem Empfehlungsschreiben vom 7. April 1762 bittet Graf Litta den Abbé Martini in einem sorgenvollen Brief aus Mailand, an Bachs Pflichtgefühl zu appellieren: «Er muß unserem Dom als Organist dienen, aber da er fast das ganze vergangene Jahr abwesend war, war er nicht in der Lage dazu.» [183] Doch es ist zu spät: Johann Christian Bach genießt in vollen Zügen die schönen Seiten Neapels und die Gunst der Ballett-Tänzerin Colomba Beccari, die er schon von Turin her kennt. Als die Affäre öffentliches Aufsehen erregt, melden sich «Uditori» genannte Aufsichtsbeamte mit dem

Opernaufführung im Teatro Regio, Turin, wo Johann Christian Bach seine erste Oper «Artaserse» aufführte.
Gemälde von Petro Domenico Olivero

Vorwurf, Bach habe den Opernvorstellungen gelegentlich in der Loge der Sängerinnen und Tänzerinnen beigewohnt oder während der Darbietungen mit den Damen in den Kulissen gescherzt, was laut königlicher Order selbst den Offizieren der Wache verboten sei.

Der des Leichtsinns Beschuldigte zeigt wenig Neigung einzulenken; aus Protest lässt er einmal sogar seinen Arbeitsplatz am Cembalo des Opernorchesters leer. Die einschlägige Akte, welche übrigens der bedeutende Kulturhistoriker Benedetto Croce Ende des 19. Jahrhunderts für seine Theatergeschichte Neapels ausgegraben hat, weiß zu berichten, dass am Ende Johann Christian Bachs Anhänger mit der Bitte vorstellig werden, diesem den Aufenthalt in der Künstlerloge noch ein letztes Mal zu gestatten, «um den Gerüchten zuvor zu kommen, die aus dem Verbot entstanden» sind.[184]

Zum einen: Wenn man bedenkt, wie schwer sich selbst der junge Mozart mit Opernaufträgen und -erfolgen getan hat, kann man den Aufstieg des Johann Christian Bach nur als kometenhaft bezeichnen. Dass Vater Bach auf ihn den Gellert-Vers «Der Görge kömmt gewiß durch seine Dummheit fort» angewendet haben soll, ist zwar nur eine Anekdote von zweifelhafter Authentizität, jedoch von einiger innerer Wahrheit, sofern man Dummheit durch Sorglosigkeit ersetzt – eine Eigenschaft, die der Bach-Familie insgesamt abgeht. Umso merklicher tritt sie beim Jüngsten in Erscheinung: dem Einzigen, der dem Prinzip der Bodenständigkeit radikal und offenbar auch angstfrei absagt.

Und zum anderen: Lebt der Sohn aus, was bereits im Vater angelegt ist? Auch wenn Welten zwischen Leipzigs Thomaskirche und Neapels Oper liegen, so erinnert man sich immerhin an trotzige Reaktionen des jungen Johann Sebastian gegenüber einer kleinlichen Obrigkeit und an seine Sympathie für die «schönen Dresdener Liederchen», das heißt für die dortige Oper.

In den beiden für Neapel komponierten Opern wirkt Anton Raaff als «primo uomo» mit, ein gebürtiger Rheinländer, den damals ganz Europa feiert. Eigens für ihn fügt Bach in den *Alessandro* zunächst nicht vorgesehene Nummern ein, unter ihnen die Arie *Non sò, d'onde viene*, die sein wohl bekanntestes Gesangsstück werden wird. Eine andere Arie, *Non ti minaccio sdegno, non ti prometto amor* aus *Catone in Utica*, ist ein früher Beleg dafür, wie differenziert Bach Sänger und Orchester miteinander dialogisieren lässt – ein damals in Italien ganz neues Verfahren.[185] *Catone* wird im Laufe weniger Jahre in Mailand, Padua, Perugia, Parma, Neapel und Braunschweig nachgespielt – keine Selbstverständlichkeit für eine Anfängerarbeit.

Im Mai 1762 reicht Johann Christian Bach beim Mailänder Domkapitel ein Urlaubsgesuch ein: *für ein Jahr, beginnend mit dem kommenden Juli, um nach England gehen zu können und dort zwei Opern zu komponieren*[186]. Das entsprechende Angebot des

King's Theatre am Haymarket eröffnet dem Sechsundzwanzig-
jährigen eine Karriere, die anfänglich dem recht ähnlich ver-
laufenen Aufstieg eines Georg Friedrich Händel nahe kommt.
Bach wird – drei Jahre nach dessen Tod – von der Sängerin Colomba Mattei engagiert, die das Haus zusammen mit ihrem
Mann führt. Dass sein Ruf bis nach England vorgedrungen ist,
muss nicht unbedingt überraschen: Schon damals werden beliebte Komponisten und Sänger in den europäischen Zentren
der italienischen Oper – und zu diesen zählt zweifellos London – von Station zu Station gereicht. Zudem mag der Sänger
Elisi, mit dessen Namen Johann Christian Bachs Einstieg in die
Opernwelt verknüpft ist, während seines nunmehr auslaufen-
den Londoner Engagements eine spezielle Empfehlung ausge-
sprochen haben.

Der als «Saxon Master of Music» und «Saxon Professor»
angekündigte Bach präsentiert sich dem Londoner Publikum
nicht gleich mit einer neu komponierten Oper[187], sondern
zunächst mit Pasticci – wörtlich: Pastetchen, also der Zusam-
menstellung von Teilen aus älteren Opern unterschiedlicher
Autoren zu einem neuen Ganzen. Im November 1762 gibt er
sein Debüt mit dem Pasticcio *Il tutore e la pupilla.* Die Ouvertüre
entstammt in ihrer Substanz einer von ihm selbst noch in
Neapel komponierten Kantate; die weitere Musik ist bereits
bekannten Opern unter anderem von Niccolò Piccini und Gio-
acchino Cocchi entnommen. Solche Pasticci sind keineswegs
nur Notbehelf für den Fall, dass keine geeigneten neuen Werke
zur Verfügung stehen; vielmehr bieten sie die Möglichkeit,
zum einen besonders beliebte Stücke aus inaktuell geworde-
nen Opern im Repertoire zu halten und zum anderen die Wünsche der jeweiligen Gesangstars nach speziellen Bravourarien
zu befriedigen.

Gleichwohl kann ein neu verpflichteter Maestro natürlich
auf die Dauer nicht mit Pasticci reüssieren; er muss vielmehr
mit eigenen Werken aufwarten. Da lässt sich Bach in der Tat
nicht lumpen: Auf drei weitere Pasticci folgen als Original-
kompositionen in den Jahren von 1763 bis 1767 die Opere serie
Orione, Zanaida, Adriano in Siria und *Carattaco.* Vor allem mit

den beiden erstgenannten wird Johann Christian Bach für einige Jahre zu einem Star der Londoner Opernszene. An der Oper *Orione*, deren Thema wie gewohnt der griechischen Mythologie entnommen ist, rühmt Charles Burney die Verbindung von natürlicher und eleganter Melodik und gründlicher Harmonik; die Mischung zeige, dass Bach einerseits der neapolitanischen Schule verpflichtet, andererseits aber ein Kind von Johann Sebastian und ein Bruder von Carl Philipp Emanuel sei. Indem die Londoner Kritik außerdem den gediegenen Orchestersatz, den Reichtum der Instrumentation, die Ausdruckskraft der orchesterbegleiteten Rezitative, die Bedeutung der Chöre und schließlich Bachs Fähigkeit rühmt, für die Stimme der Primadonna Anna Lucia de Amicis zu komponieren, zeigt sie ihre Kompetenz: Auch heute lässt sich kaum Wesentlicheres sagen.

Das englische Königspaar besucht nicht nur die Premiere, sondern auch die folgende Aufführung des *Orione* und macht damit auch öffentlich deutlich, dass es seinen Landsmann zu schätzen weiß. In weiser Erkenntnis der Tatsache, dass man in dem von ökonomischen Interessen und Intrigen beherrschten Operngeschäft nicht mit dauerhaften Erfolgen rechnen kann, hat dieser längst Kontakte zum deutschblütigen Herrscherhaus geknüpft: Er wird Musiklehrer der Königin Sophie-Charlotte, widmet ihr 1763 seine Klavierkonzerte op. 1 und kann bald ein Privileg für den Druck weiterer Werke vorweisen. In den siebziger Jahren mietet Bach in der Nähe des königlichen Sommersitzes ein Haus, um nach Bedarf Mitglieder der Familie zu unterrichten und Kammermusiken der Königin zu leiten. Übrigens ist er einer der Allerersten, der das Pianoforte in London und speziell am Hof bekannt macht.

Überhaupt scheint er sich für das moderne Klavier eingesetzt zu haben. Wir erinnern uns an Denis Diderots Kontakt mit Carl Philipp Emanuel Bach im Jahre 1774: Der französische Philosoph gibt sich dabei nicht nur als Freund und Bewunderer von Johann Christian Bach zu erkennen; darüber hinaus kann er sich auch eines Klaviers rühmen, das ihm dieser aus London für seine Tochter hat schicken lassen. Ein De-

Johann Christian Bach, gemalt von seinem berühmten Londoner Freund Thomas Gainsborough. Der Padre Martini, Bachs alter Lehrer aus Bologna, hatte sich das Bild 1776 ausdrücklich erbeten und zwei Jahre später auch tatsächlich erhalten.

tail wie dieses spricht für die Wertschätzung, die Johann Christian Bach damals im europäischen Musikleben genießt. Sein Rang ist natürlich auch Wolfgang Amadeus Mozart bewusst, der erstmals 1764 den Weg des Londoner Bach kreuzt: Auf der ersten großen Europareise hält sich der Achtjährige mit seiner Familie über ein Jahr lang in England auf, um seinen Ruf als Wunderkind zu mehren. Unterwegs macht er so gewaltige künstlerische Fortschritte, dass Vater Leopold dem Salzburger Freund Lorenz Hagenauer schon wenige Wochen nach der Ankunft auf der Insel im Mai dieses Jahres schreiben kann: «Das, was er gewust, da wir aus Salzburg abgereist, ist ein purer Schatten gegen demjenigen, was er jetzt weis. Es übersteiget alle Einbildungskraft.»[188]

Gewiss hat Leopold Mozart einer so einflussreichen Persönlichkeit wie Johann Christian Bach alsbald seine Aufwartung gemacht; ebenso gewiss wird der Bach-Sohn vom klei-

Der achtjährige Mozart in London, 1764/65, gemalt von John Zoffany, bekannt als «Mozart mit dem Vogelnest»

nen Wolfgang Amadeus fasziniert gewesen sein und ihm der Weg an den Hof erleichtert haben. Vielleicht hat dort auch die gemeinsame Improvisation beider stattgefunden, an der in den Erinnerungen der Schwester Nannerl die Rede ist: Danach nahm Bach den kleinen Mozart «zwischen die Füsse, jener spielte etwelche Tact dann fuhr der andre fort, und so spielten sie eine ganze Sonaten und wer solches nicht sahe, glaubte es wäre solche allein von einem gespielt»[189]. Ob es zu weiteren Begegnungen gekommen ist, bleibt unklar: In den recht ausführlichen Londoner Briefen und Reisenotizen der Mozarts taucht der Name Bachs jedenfalls kaum auf. Es müsste nicht wundernehmen, wenn dieser die Rolle eines Gönners und Wegbereiters nur halbherzig gespielt hätte: Im frühkapitalistischen Londoner Musikbetrieb konkurriert jeder gegen jeden; und Johann Christian Bach ist mit nicht einmal dreißig Jahren noch nicht in dem Alter, wo man andere neben sich dulden kann.

Doch sicherlich hat er nichts dagegen, dass der Jüngere ihn als großes Vorbild betrachtet, seine Werke mit Feuereifer spielt und studiert. Mozart hat nicht nur seine D-Dur-Sinfonie KV 19 überdeutlich nach dem Muster einer solchen von Johann Christian Bach komponiert und dessen Klaviersonaten wenig später zu den Klavierkonzerten KV 107 umgearbeitet, sondern sich noch jahrelang an ihm gemessen. «Er hat nichts hinzugefügt außer seinem eigenen Genie – dem Geheimnis einer noch vollkommeneren Schönheit», so charakterisierten die ehrwürdigen Mozart-Forscher Théodore Wyzewa und Georges Saint-Foix einst das entsprechende Verhältnis.[190] Ludwig Finscher sieht Ähnliches aus umgekehrter Blickrichtung: Johann Christian Bach habe das Unglück gehabt, den Mozart-Stil wie kein anderer zu antizipieren, «so daß seine Werke wie blasse Imitationen wirkten», obwohl er einer der ersten Repräsentanten «europäischer Universalität» gewesen sei.[191]

«Man kann sich kaum dem Eindruck entziehen, dass in Johann Christian Bachs Sinfonien seit dem Opus 3 (1765) die Gattungsidee der Sinfonie ihre unübertroffene Erfüllung findet. Orchestrale Brillanz, Verve, effektvolle Beweglichkeit, weltstädtische Eleganz gehen Hand in Hand mit zwingender, vollkommen in sich ausgewogener Konstruktion, einem untrüglichen Formgefühl für das Abgerundete, in jeder Richtung Angemessene, für die Klarheit der Proportionen, für Ökonomie und Reichtum der Orchesterbehandlung.»
Der Musikforscher Stefan Kunze, von dem diese Huldigung stammt, sieht Vergleichbares und Besseres nur in den reifen Sinfonien Haydns und Mozarts.

Stefan Kunze: Die Sinfonie im 18. Jahrhundert. Laaber 1993, S.219

Im Jahr 1765 – die Mozarts sind immer noch in London – ist Bach auf einem künstlerischen Höhepunkt. Zwar hat die Oper *Adriano in Siria* mit dem Kastraten Giusto Fernando Tenducci in der Titelrolle nur bei Kennern größeren Erfolg, jedoch kann Bach als Leiter einer Abonnementreihe auftreten, die von einer früheren Geliebten Casanovas, der Sängerin Teresa Cornelys, im Carlisle House am Soho Square eröffnet worden ist. Die Hauptattraktionen bilden Bälle und Vergnügungen aller Art – bis hin zu einem Rollschuh fahrenden Geiger oder geigenden Rollschuhfahrer. Bach und sein Freund Carl Friedrich Abel sind demgegenüber für Konzerte des gehobeneren Niveaus verantwortlich, und in der Tat werden die Bach-Abel-Concerts schon bald zu einer Attraktion. Später ziehen sie in die Räume eines Mr. Almack in der King Street um.

Der jüngere Abel bedarf hier der Vorstellung: Sein Vater hat unter der Leitung von Johann Sebastian Bach in der Köthener Hofkapelle musiziert; er selbst ist als Virtuose auf der Gambe und dem Violoncello in der Welt weit herumgekommen und schließlich 1759 in London gelandet. Seit 1763 teilt er mit Johann Christian Bach eine Junggesellenwohnung – zunächst in der Meard's Street, dann im King's Square Court in Soho. Die Konzerte, welche die beiden zunächst nur künstlerisch verantworten, später in eigener Regie durchführen, sind bahnbrechend und paradigmatisch für die Erschließung und Bedienung eines neuen, bürgerlich-großstädtischen Musikmarkts.

Die beiden Künstler glauben mit zeitweilig 500 Subskribenten im Rücken und dem Tanzmeister Giovanni Andrea Gallini als Geschäftspartner dafür gerüstet zu sein, um am eleganten Hanover Square einen Besitz zu kaufen und in dessen Garten einen Konzertsaal zu bauen. Diesen luxuriös ausgestatteten Saal schmücken zeitweilig Malereien von Gainsborough. Sie sind «transparent und können von hinten beleuchtet werden, und dieses Licht reicht aus, um den Saal ohne Lüster und Kerzen zu erhellen», heißt es in einem Bericht über die Eröffnung am 1. Februar 1775.[192] In der Blütezeit finden fünfzehn Konzerte jährlich statt, und zwar zwischen Januar und Mai jeweils mittwochs. Doch was sich als unternehmerischer Mut ausgibt, entpuppt sich zunehmend als gelinder Leichtsinn: Im Zeichen wachsender Konkurrenz sinken die Einnahmen der Bach-Abel-Concerts, ab 1778 sogar drastisch; nur mühsam kann sich das zuletzt vermutlich von einem Mäzen unterstützte Unternehmen bis in das Todesjahr Bachs halten.

Die Programme dürften im Wesentlichen von den Veranstaltern selbst bestritten worden sein, denn auch Abel ist ein Komponist von beachtlichen Qualitäten. Nach dem Geschmack der Zeit werden kleine Kantaten, Konzertarien, Lieder, Klavier- und Kammermusik, Sinfonien und Konzerte für ein Soloinstrument und Orchester geboten. Die breite Palette der für sein eigenes Unternehmen geschaffenen Werke Bachs ist ein schönes Beispiel dafür, dass das Wechselspiel von öffentlicher Nachfrage und kompositorischem Ehrgeiz durchaus produktiv sein kann; das bestätigen Haydns «Londoner Sinfonien», deren Erfolg ohne die «Vorarbeit» von Männern wie Bach und Abel nicht denkbar ist.

Weil im Jahre 1770 Glucks «Orfeo» für eine Aufführung im King's Theatre auf eine abendfüllende Länge gebracht werden soll, bittet man Johann Christian Bach um die Komposition von vier Arien. Und als in Neapel ein paar Jahre später eine ähnliche Fassung gegeben werden soll, fragt man ihn um Rat und erhofft darüber hinaus seine Rückkehr nach Italien. Die kleinen diplomatischen Aktivitäten, die seine Zusage bewirken sollen, sprechen für seinen Ruf. Doch Bach bleibt in London, hat dort 1772 mit *Endimione*, einer dem leichten Opern-Genre angenäherten, vermutlich szenisch aufgeführten Kantate großen Erfolg. Wer das Werk in der CD-Einspielung von 1999 hört, ist überrascht von der Leichtigkeit der musikalischen Diktion, die immer wieder an Mozart erinnert. In der Erstaufführung wirkt Johann Baptist Wendling mit, ein Mannheimer Flötist, welcher mit den Mozarts gut bekannt ist. Nach Aussage von Mozarts Mutter verliebt sich Bach in Wendlings sechzehnjährige Tochter Augusta, die ihm zwar einen Korb gibt, jedoch sicher nichts dagegen hat, dass der Vater ihrem Verehrer bei

Für die Bach-Abel-Concerts war augenscheinlich nur das Beste gut genug: in Kupfer gestochene Eintrittskarte

einem Opernauftrag für den Mannheimer Hof die Wege ebnet
Ende 1772 erklingt dort unter Anteilnahme hohen und höchs
ten Adels und in glänzender Ausstattung *Temistocle* mit Antor
Raaff in der Hauptrolle. Sinnliche Fülle und nuancierte Situa
tionszeichnung einer Arie
wie *Fosca nube* weisen ein
mal mehr auf Mozart hin.

In der kurpfälzischer
Sommerresidenz Schwet
zingen ist Bach mit *Endi*
mione erfolgreich, mit der
Seria *Lucio Silla* auch noch
einmal am Mannheimer
Theater selbst. In London
hat die Seria *La clemenza d*
Scipione gute Resonanz; sie
wird Anfang 1778 vermut
lich im Beisein seines zu
Besuch weilenden Bruders
Johann Christoph Friedrich
und seines Neffen Wilhelm
Friedrich Ernst Bach aufge
führt. Zu den Sängern ge
hört Johann Valentin Adam
berger, den Mozart später als
seinen ersten Belmonte in
der «Entführung aus dem
Serail» schätzen wird. Weni
ge Monate später tritt Bach
der «Lodge of the nine Muses» bei; sein Name erscheint künf
tig im Zusammenhang mit Musikveranstaltungen der Frei
maurer. Anders als Carl Philipp Emanuel Bach hat er jedoch
keine speziell maurerische Musik hinterlassen.

Das ereignisreiche Jahr 1778 bringt auch den Auftrag, eine
Tragédie lyrique zu schreiben – die französische Spielart der
italienischen Seria. «Bach von london ist schon 14 täge hier, er
wird eine französische opera schreiben», berichtet Mozart

> Der Hof fand sich um 4 Uhr im Vor-
> zimmer der Kurfürstin ein und begab
> sich von hier aus ins Opernhaus.
> Viele Fremde waren inkognito er-
> schienen, u. a. die Markgrafen von
> Baden mit ihren Familien und Ge-
> folge, denen man die große Loge in
> der dritten Etage gab, ferner der Erb-
> prinz und die Erbprinzessin von
> Hessen-Kassel, denen man die «loge
> grillée» rechts im Parterre gab.
> Die entsprechende Loge links im
> Parterre erhielten der Prinz und die
> Prinzessin von Nassau-Weilburg und
> die Gräfin von Neipperg, daneben
> saßen die drei Prinzen von Radziwill.
> Viele fremde Damen von Stand, die
> inkognito erschienen waren, er-
> hielten Logen im dritten Rang, die
> ehemals für die Jesuiten bestimmt
> waren. Die übrigen Logen waren
> so überfüllt, daß viele Leute aus der
> Stadt keinen Platz mehr bekamen
> und auf eine Wiederholung der Oper
> vertröstet werden mußten.
> Bericht über die Uraufführung der Oper
> «Themistocle» am 5. November 1772 in
> Mannheim, nach: Friedrich Walter: Ge-
> schichte des Theaters und der Musik am
> kurpfälzischen Hofe. Leipzig 1898, S.104

em Vater am 27. August aus Paris, und weiter: «ich liebe ihn / wie sie wohl wissen / von ganzem Herzen – und habe hochachtung für ihn».[193] Eine «favorit sache» Mozarts ist Bachs berühmte Arie *Non sò d'onde viene*: Um sich zu vergewissern, dass er überhaupt Distanz zum geradezu gefürchteten Vorbild halten kann, hat er sie einige Monate zuvor in Mannheim «zu einer übung» vertont (KV 294); nun hört er sie in Paris ein weiteres Mal von Raaff, der bei ihm ein und aus geht.[194]

Bach hat in Frankreich zunächst nur sondiert. Wir gehen deshalb mit ihm noch einmal nach London zurück. Dort hat er sich als konzertierender Künstler schon seit längerem mit der italienischen Sängerin Cecilia Grassi hören lassen, die bereits im Londoner *Endimione* mitgewirkt hat. Damals warb er noch um die schöne Wendling-Tochter, die jedoch die Rolle einer Mätresse des Kurfürsten Carl Theodor und anschließend – so will es jedenfalls Leopold Mozart wissen – einer Geliebten des Musikintendanten Joseph Anton Graf Seeau bevorzugt. Doch um die Jahreswende 1773/74 hat sich die Situation für Johann Christian Bach augenscheinlich geändert: Er gibt die gemeinsame Wohnung mit Abel auf, um sich mit der Grassi zu liieren. Im Lauf der Jahre wird er die einige Jahre Jüngere ohne Auf-

Carl Friedrich Abel, Londoner Partner von Johann Christian Bach, gemalt von Thomas Gainsborough, 1777

Gartenkonzert in der Rotunde der Vauxhall Gardens
in London. Hier werden auch die populären Lieder von
Johann Christian Bach erklungen sein.
Aquarell von Thomas Rowlandson, 1784

sehen heiraten – angeblich des Geldes wegen. Das Datum der
Eheschließung ist nicht bekannt; und auch die Frage, ob das nahe Verhältnis, welches zuvor zwischen Abel und Grassi bestanden hat, definitiv beendet ist, lässt sich nach den zeitgenössischen Berichten nicht eindeutig beantworten.

Bach komponiert zur Freude der Londoner weiterhin Musik aller Genres – seit 1766 auch populäre Lieder für die beliebte Sängerin Weichsell, welche im Vergnügungspark Vauxhall auftritt, jedoch schon bald von ihrer blutjungen Tochter Elizabeth in den Schatten gestellt wird. Auch zu volkstümlichen Komödien und Masques in der Landessprache, die im königlichen Theater Covent Garden aufgeführt werden, steuert er Musik bei.

Weniger Glanz verbreitet der Londoner Bach auf dem Feld der geistlichen Musik. Eine Serie von Oratorienaufführungen, die er in der Fastenzeit des Jahres 1770 leitet, wird trotz er-

ichtlicher Protektion durch die englische Königin zu einem
Misserfolg – mehr noch: Wenn man einem zeitgenössischen
Bericht trauen darf, wird Johann Christian Bach vom Pu-
likum ausgepfiffen und von den Chorknaben verlacht, als er
ich in alter Händel'scher Tradition während der Pausen auf
er Orgel ergeht. Hat er zu weltlich intoniert? Auch in
Deutschland ist sein diesbezüglicher Ruf nicht der beste. Die
über das Wesen heiliger Tonkunst disputierende Gesellschaft
aus Wilhelm Heinses Roman «Hildegard von Hohenthal» vermutet jedenfalls, Bach habe sein «Salve regina» (vermutlich
W E 24) «bey Champagner und Burgunder, gesund und im
Wohlleben» geschrieben: Es zeige zwar «schöne Züge», aber
auch «fromme Hofmiene».[195]

Ende 1779 steigt die Pari-
er Uraufführung von *Amadis
de Gaule* in Gegenwart der Königin Marie-Antoinette und
hres Hofstaats. Obwohl die
Oper kein rauschender Erfolg
ist, wagt Bach mit *Omphale* einen zweiten Versuch, der aber
Torso geblieben und zudem
verschollen ist. In London hat
Bach zwar keine weiteren Er-
olge als Opern-, wohl aber
ls Instrumentalkomponist;
r brilliert mit seinen konzer-
anten Sinfonien W C 32–48,
die geradezu als sein Markenzeichen betrachtet werden
können, mit sechs ganz im
Mozart-Habit daherkommen-
den Klavierkonzerten op. 13
und den erst postum erschienenen sechs Sinfonien op. 18.

Trotz fast unverminderter
künstlerischer Aktivität sinkt

Die Bach-Söhne – Stichjahr 1780:
Wilhelm Friedemann lebt ohne feste
Stellung in Berlin. Er beschäftigt
sich mit einer Oper «Lausus und Ly-
die», die unvollendet bleiben wird.
Carl Philipp Emanuel ist in Ham-
burg hervorragend etabliert und auf
der Höhe seines Ruhms; er lässt 30
«Geistliche Gesänge und Lieder» und
die zweite Folge seiner «Sonaten für
Kenner und Liebhaber» erscheinen.
Johann Christoph Friedrich hat in
Bückeburg eine neue, prominente
Klavierschülerin: Prinzessin Juliane,
die als Gattin des Grafen Philipp
Ernst im Schloss einzieht.
Er komponiert die Motette «Ich lieg
und schlafe» und lässt im fernen
London sechs Klavierkonzerte er-
scheinen – Frucht seines zwei Jahre
zurückliegenden Besuches beim
Bruder Johann Christian. Dieser
arbeitet an einer neuen Oper für
Paris, beteiligt sich an der Panto-
mime «The Genius of Nonsense»
und komponiert vier Klavier-Violin-
Sonaten op. 18 und vier Quartette
op. 19. Die berühmten Bach-Abel-
Concerts gehen weiter, doch der
Stern des jüngsten Bach sinkt.

Johann Christian Bachs Glücksstern in den letzten Lebensjah
ren: Die Erträge der Bach-Abel-Concerts nehmen kontinuier
lich ab; außerdem verliert Bach durch einen ungetreuen Haus
verwalter an die 1200 Pfund. Am Ende muss er sich 100 Pfund
vom Kutscher leihen, oh
ne sie jemals zurückzahlen
zu können. Mit dem finan
ziellen Abstieg geht gesund
heitliche Zerrüttung ein
her, augenscheinlich durch
reichlichen Alkoholgenuss
beschleunigt. Bach reist zur
Luftveränderung nach Pad
dington, damals ein Dorf am
Rand Londons, sieht jedoch
seine Lage offenbar als so
bedrohlich an, dass er ein
Testament aufsetzen lässt.
Der Tod trifft ihn am Neu
jahrstag 1782; als Todesursa
che nennt der Sänger Andrea
Morigi «malati di petto»,

Wie ein böses Vorzeichen für den
späteren finanziellen Ruin wirkt ein
Überfall, den einige der damals in
London gefürchteten Straßenräuber
auf das Freundestrio Abel, Bach und
Gainsborough verüben, welches an
einem Juliabend des Jahres 1775 in
Kutschen aufs Land reist. Während
der vorweg fahrende Abel verschont
bleibt, wird Johann Christian Bach
mit der Aufforderung «Euer Geld
oder Eure Uhr!» aus dem Schlaf
geschreckt. Vor Gericht bemerkt er
trocken: «Das Geschäft war schnell
vorbei!» Man habe ihm eine goldene
Uhr im Wert von 20 Pfund, eine auf
drei Pfund zu schätzende Kette und
eine Guinee in bar abgenommen.
«Ich würde die Person, die mich be-
raubte, nicht wieder erkennen», gibt
er noch zu Protokoll.

also «Brustkrankheit».[196] Die Beerdigung findet unter geringer
Beteiligung auf dem katholischen Friedhof von St. Pancras in
der Grafschaft Middlesex statt; heute wird auf diesem Gelände
Tennis gespielt. Der nicht einmal Siebenundvierzigjährige hin
terlässt seiner Frau – von Kindern ist nichts bekannt – an die
4000 Pfund Schulden, für welche die Königin so weit einsteht,
dass die Gläubiger Cecilia Grassi in ihr Heimatland zurück
kehren lassen.

Die etablierte Konzertreihe führt Partner Abel wenigstens
bis zum Ende der Saison fort. Dass an einem der letzten Abende
eine Sinfonie von Haydn erklingt, hat Symbolcharakter: Nun
steht dessen Ära in London bevor. Doch das letzte Wort in die
ser Sache soll Mozart haben, der im April 1782 an seinen Vater
schreibt: «Sie werden wohl schon wissen daß der Engländer
Bach gestorben ist? – schade für die Musikalische Welt!»[197]

An Johann Christian Bach scheiden sich die Geister seiner Zeit. Wir erinnern uns des Vorwurfs von Carl Philipp Emanuel, die Musik des jüngeren Bruders fülle zwar das Ohr aus, lasse aber das Herz leer. Überhört man das in solchen Äußerungen mitschwingende moralische Verdikt, so bleibt die Skepsis gegenüber der aus Italien kommenden «neuen komischen Musik». Doch gerade dort liegen wichtige Wurzeln des «klassischen Stils», wie er unter anderem von Mozart präzisiert wird: Plastizität, Unmittelbarkeit, Spontaneität, auch Diskontinuität der musikalischen Rede – nicht als Willkür, sondern als Handlungsfreiheit eines originellen und doch festen Charakters zu verstehen. Hätte Mozart nicht gelebt, so wäre Johann Christian Bach sein wichtigster Platzhalter geworden – nicht zuletzt wegen des heiteren und unbekümmerten Wesens seiner Musik.

Man mag sich des Humors, der aus einem Klavierrondo eines Carl Philipp Emanuel spricht, durchaus erfreuen. Doch den Drang, vergnügt in die Hände zu klatschen, wie man ihn bei der Ouverture zur «Entführung aus dem Serail» verspürt – ihn wird man ähnlich wohl nur bei einer vergleichbaren Ouverture von Johann Christian Bach haben. Einen «Volkscomponisten, der zu seiner Zeit allgemein beliebt war», hat ihn Forkel genannt – eine durchaus ehrenvolle Charakterisierung[198], mag sie auch an eine Äußerung angrenzen, welche das anekdotensüchtige 19. Jahrhundert Johann Christian in den Mund gelegt hat: *Mein Bruder [Carl Philipp Emanuel] lebt, um zu componiren, ich komponire, um zu leben.*[199]

Wer war berühmter in seiner Zeit – Carl Philipp Emanuel oder Johann Christian Bach, und wer war bedeutender? Einerseits sind solche Fragen müßig, weil nicht objektiv zu beantworten; andererseits laden sie zum Nachdenken ein. An Bekanntheit stehen sich beide nicht nach, jedoch ist der Ruhm unterschiedlicher Art. Carl Philipp Emanuel ist für eine Zeit – diejenige zwischen Spätbarock und Klassik – und für einen bestimmten geographischen Raum – Norddeutschland – der musikalische Gewährsmann: gelegentlich zwar anstrengend, aber doch vor allem mit breiter Brust. «Es geht weiter», so signali-

Entwurf eines
Grabmals für
Johann Christian
Bach von dem
Bildhauer Carlini

siert er einer Klientel, die noch nicht so recht weiß, was sie
denn mit den neuen bürgerlichen Freiheiten anfangen soll,
und er steht dabei für Tradition und Fortschritt, für Ethos und
Selbstvergnüglichkeit zugleich.

Demgegenüber hat Halbbruder Johann Christian kaum
Vorstellungen von einem gesellschaftlichen Umbruch, in dessen Verlauf die Musik ihren neuen Platz finden müsse. Er ist
vor allem ein Mann der Oper: Dort geht es immer «irgendwie»
weiter, und man lebt, wenn man nicht gerade Gluck heißt,
vom Tagesgeschäft und raschem Erfolg, von der Hand in den
Mund. Das ist in den Augen von Carl Philipp Emanuel verant-
wortungslos. Doch die List der Vernunft will es, dass gerade die
vermeintliche Verantwortungslosigkeit jenen unbekümmert
komischen Stil befördert, der sich in der Wiener Klassik mit ei-

nem neuen Humanitätsideal verbinden wird. Ein solches steht beim Londoner Bach noch nicht auf dem Programm. Die Gesellschaft feiert ihn nicht wegen einer bestimmten Vorstellung von Musik, sondern wegen des Schmelzes seiner Arien und der Sanglichkeit seiner Allegri. Sie lässt sich gern verführen von einem Charme, den er nicht nur in seiner Musik vorführt, sondern unbekümmert auch als Person vorlebt.

In dem Unmut des einen Bruders über den anderen schwingt etwas von dem Neid mit, den – im Gleichnis vom verlorenen Sohn – der daheim Gebliebene und redlich um das väterliche Erbe Bemühte angesichts des Trubels empfindet, den die Heimkehr des Weltkindes auslöst: Darf man geliebt werden, ohne es verdient zu haben? Wobei zu bemerken wäre, dass der Vaterlandsverräter Johann Christian Bach es sich natürlich ‹verdient› hat: durch Risikobereitschaft ebenso wie durch unendlichen Fleiß. Denn mögen Burgunder und Wohlleben auch für gelegentliche Ablenkung sorgen – Opern, Konzerte und Sonaten müssen Note für Note komponiert und zu Papier gebracht werden, um ihren Charme entfalten zu können.

In die Wiener Klassik haben beide gleich viel eingebracht: Carl Philipp Emanuel auf dem Weg über Haydn und Beethoven, Johann Christian via Mozart. Ersterer ist der Fährmann, welcher die Zeitgenossen verlässlich – doch nicht ohne Wagemut – vom einen zum anderen Ufer übersetzt, Letzterer der kecke Abenteurer auf der richtigen Spur des verheißenen Goldes. Die so genannte Wiener Klassik gäbe es in ihrer universellen Geltung weder ohne den einen noch ohne den anderen.

Epilog
Zwei Enkel: Wilhelm Friedrich Ernst und Johann Sebastian Bach

Der majestätische Strom theilt seine höchste Fülle in vier Ar
me, schickt diese allen Weltgegenden zu und sie alle treffer
auf Sümpfe in denen sich die schöne Flut unwiederbringlich
verliert.» In diesem Bild beschreibt der Aufklärer und Goethe
Freund Johann Friedrich Reichardt die künstlerische Situation
der Bach-Familie im Jahre 1791. Zwar hat Johann Sebastian
«der größte Künstler von allen», bedeutende Söhne gezeugt
«Wer kennt nicht den hallischen, den berlinischen, den eng
lischen (oder den mailändischen) und den bückeburge:
Bach?»[200] Doch bis auf den Letztgenannten sind sie nicht meh
am Leben; und ihre Hinterlassenschaft ist kein Monumentun
aere perennium, geht vielmehr im großen Strom der Musik
geschichte auf.

Über das Verhältnis der vier Brüder untereinander sin(
nur wenige Details bekannt. Danach haben sie sich als Er
wachsene offenbar nur gelegentlich etwas zu sagen gehabt
und es dürfte nicht nur an der Tücke der Überlieferung liegen
dass keinerlei Briefe vom einen zum anderen erhalten sind
Auch von Familientreffen, wie sie zur Zeit der Vorfahren gang
und gäbe waren, ist in ihrer Generation nichts zu vernehmen
In einem Sinne sind sie freilich nolens volens Brüder: als Söh
ne des großen Vaters. Diese Rolle mag unwillkürlich ein Kon
kurrenzverhältnis geschaffen und jeden der vier schon früh zu
dem Beschluss veranlasst haben, sich allein durchzubeißen.

Als herausgehobene Musikerpersönlichkeiten ihrer Zei
sind die vier Brüder Repräsentanten eines allgemeinen gesell
schaftlichen Prozesses, der in ihnen auf das Anschaulichst(
personifiziert ist. Der Vater, selbst noch feudalen und ständi
schen Ordnungsvorstellungen verpflichtet, entlässt seine Söh

ne in eine sich zunehmend liberalisierende bürgerliche Gesellschaft. Halle, Hamburg, Bückeburg, London lauten die Namen ihrer jeweils wichtigsten Wirkungsstätte, und es sind zugleich Chiffren für vier charakteristische Karrieren. Der Älteste verbraucht im Schwanken zwischen den Extremen des kleinen Kirchenbeamten und des freien Künstlers viele Energien, darf sich aber rühmen, für das Künstlerbild der Zukunft Modell gestanden zu haben. Eine treffliche Mischung von Durchsetzungsvermögen und Liebenswürdigkeit, von Bildung und Geschäftssinn ermöglicht es dem zweiten, vom Hofbedienten zum Trendsetter der bürgerlichen Gesellschaft aufzusteigen; sein Haus mag sich zwar nicht mit demjenigen Goethes am Weimarer Frauenplan vergleichen lassen, weist jedoch – in behäbiger hanseatischer Ausstattung – auf den Salon des 19. Jahrhunderts voraus. Existenzängste, die der dritte mit sich herumgetragen haben mag, binden ihn zwar zeitlebens an ein und dieselbe provinzielle Stellung, erlauben aber immerhin beachtliche Aktivitäten auf dem bürgerlichen Musikmarkt. Der Jüngste ist Inbegriff des nach außen gewandten, weltläufigen Künstlers, welcher Leben und Werk in derselben Flamme erglühen und alsbald verbrennen lässt – zu sehr Artist, um Publikumserfolge in Sicherheiten und Vermögenswerte ummünzen zu können.

Während sich Wilhelm Friedemann Bach sichtlich schwer tut, in der Auseinandersetzung mit dem Publikum zu bestehen, zeigt jeder der drei jüngeren Brüder auf seine Weise ein faszinierendes Geschick, sich im Diskurs mit der Umwelt zu verwirklichen. Wir wissen nicht, wann und in welchen Details sie mehr Rücksicht auf ihre Umwelt haben nehmen müssen, als ihnen lieb war. Wir können aber vermuten, dass ihr Verhältnis zum Umfeld im Wesentlichen harmonisch war: dass sie gern schrieben, was man von ihnen erwartete, und dass man gern erwartete, was sie schrieben. Vater Bach hat das niemals gelingen wollen – vielleicht ist er gerade deshalb zu einem Mythos geworden.

Spätestens in der Ära Beethovens ist es schon wieder vorbei: Da spalten sich hohe und Gebrauchskunst, und die Schei-

Wilhelm Friedrich Ernst Bach, der letzte Namensträger in der Nachfolge Johann Sebastian Bachs. Das Bildnis gehörte der Singakademie Berlin und ist heute verschollen.

delinie wird vielleicht weniger durch Können als durch Gesinnung und Selbsteinschätzung markiert. Vom Können her mag Wilhelm Friedrich Ernst, der letzte komponierende Bach aus direkter Linie von Johann Sebastian, nicht schlechter gewesen sein als sein Vater Johann Christoph Friedrich; doch was er als Karriere produziert und als Œuvre hinterlässt, wird im Zeichen zunehmender gesellschaftlicher Differenzierung musikalischer Funktionen kaum mehr ernst genommen.

Erster Höhepunkt im Leben des damals Neunzehnjährigen ist ein Besuch bei Johann Christian Bach im Jahre 1778. Durch die Vermittlung des Londoner Onkels kann er alsbald Klavierstunden geben, mit einer selbst komponierten großen Klaviersonate auftreten und erste Kammermusikwerke veröffentlichen. Vielleicht erst nach dem Tod von Johann Christian, dessen Niedergang er miterlebt haben muss, kehrt er nach einer durch Frankreich und Holland führenden Konzertreise in die Heimat zurück. Ab 1784 ist er als Dirigent des «Mindener Liebhaber-Concerts» nachweisbar, und im Juni 1788 führt er dort seine Kantate *Westphalens Freude ihren vielgeliebten König bey sich zu sehen* auf als offizielle Huldigung für den neuen preußischen König Friedrich Wilhelm III. Dieser, geschmeichelt oder beeindruckt, beruft ihn 1789 an den Berliner Hof. Von 1797 an unterrichtet er die Königin Luise, die Gemahlin Friedrich Wilhelms III., und ihre sieben Kinder. Neckische Klavierstücke zu vier und sechs Händen, die sich in seinem Nachlass befinden, sind offenkundig zur Auflockerung des höfischen Unterrichts geschrieben. Als Königin Luise im Jahr 1810 stirbt, hat Bach immer weniger zu tun; 1819 wird er pensioniert. Zu diesem Zeitpunkt ist er nach dem Tod seiner ersten Frau in zweiter Ehe verheiratet.

Nach dem Vorbild der Bach-Söhne beschränkt sich Wilhelm Friedrich Ernst Bach nicht auf seine Tätigkeit als Musikmeister der preußischen Königin. Vielmehr veröffentlicht er in seiner frühen Berliner Zeit Klavier- und Kammermusik im klassischen Stil und trägt fleißig zu populären Sammelwerken wie dem «Musikalischen Journal» und den «Monats-Früchten für Klavier» bei. Um 1821 erscheinen *XII Grandes Variations sur un air populaire Gestern Abend war Vetter Michel da*: Die Musik ist ähnlich aufgedonnert wie ihr ausführlicher Titel. Fleißig bedient Bach die Gattung des Liedes. Neben einer *Berlinade* und einem *Rheinweinlied* ist eine – verschollene – Vertonung von Schillers «Freude, schöner Götterfunken» zu verzeichnen.

Es fehlt auch nicht an größer besetzter Vokalmusik. Für das Jahr 1798 ist die Aufführung einer großen Ballett-Pantomime durch Mitglieder des königlichen Theaters nachweisbar. In späteren Jahren wartet Bach mit so unterschiedlichen Titeln wie *Der Theaterprinzipal, Vater unser* und *Columbus* auf. Die beiden letztgenannten Kantaten sind für die Freimaurerloge zu den drei Weltkugeln bestimmt, zu deren Mitgliedern Bach zählt.

Eine Tour d'horizon zeigt, dass Wilhelm Friedrich Ernst Bach dem Verlangen der bürgerlichen Gesellschaft Berlins nach Dienstleistungen für das Musizieren in Haus, Konzertverein und Liedertafel willig nachkommt. Dem Anspruch der klassisch-romantischen Komponistenelite auf Gedankentiefe

Das Bach-Denkmal in Leipzig. Aquarell eines unbekannten Künstlers, um 1850. Bei der Enthüllung des Denkmals durch Felix Mendelssohn Bartholdy 1843 war Wilhelm Friedrich Ernst Bach als würdiger Greis anwesend.

und Individualität stellt er sich hingegen nicht; ganz im Gegenteil macht er die Posse zu einem seiner Stilmerkmale – etwa in dem Lied *Der Dichter und der Komponist*, in dem die in gewählten Worten dialogisierenden Akteure durch im Berliner Dialekt zu intonierende Rufe wie *Limpurger Käse* und *Saure Gurken* aus dem Konzept gebracht werden.

Bei alledem ist er kein engstirniger Kleinmeister: Die Kantaten berücksichtigen mit einigem Können den Kompositionsstand der Haydn'schen Oratorien und zeichnen sich vor allem durch farbige Instrumentation aus; die Bläsersextette gefallen durch Handwerklichkeit und Frische. Anstatt ihn an seinem Großvater zu messen, sollte man Bach gleich seinem Zeitgenossen Carl Friedrich Zelter als Indikator der im Umbruch befindlichen bürgerlichen Musikkultur betrachten. Als Felix Mendelssohn Bartholdy am 23. April 1843 das Leipziger Bach-Denkmal enthüllt, steht der Enkel als würdiger Greis unter den Ehrengästen und geht damit als der letzte Träger seines sprichwörtlich «musikalischen» Namens in die Geschichte ein.

Freilich gibt es noch einen weiteren Enkel, der sogar nach dem Großvater genannt ist: Johann Sebastian junior, 1748 geboren, jüngster Sohn von Carl Philipp Emanuel, fast ein Nachkömmling. Seine Neigung zur bildenden Kunst ist offenkundig; so erhält der auch Johann Samuel genannte Jüngling noch in Berlin Unterricht bei dem Radierer Andreas Ludwig

Johann Sebastian Bach der Jüngere, gezeichnet vermutlich von seinem Lehrer Adam Friedrich Oeser, in Kupfer gestochen von C. W. Griessmann

Südländische Ideallandschaft von Johann Sebastian Bach dem Jüngeren, 1776. Das einzige erhaltene Ölgemälde ist kurz vor der Italienreise entstanden, auf welcher der Bach-Enkel früh verstarb.

Krüger. 1770 beginnt er eine Ausbildung an der Kunstakademie zu Leipzig. Dort zieht es ihn vor allem zum Landhaus seines Lehrers Adam Friedrich Oeser, dem Direktor der Kunstakademie. Der Freund Winckelmanns und Zeichenlehrer Goethes hält große Stücke auf ihn und empfiehlt «das Studium der Natur».²⁰¹

Johann Sebastian Bach beteiligt sich an den alljährlichen Dresdner Künstleraustellungen und wechselt bald ganz nach Dresden, um in den Dunstkreis der dortigen berühmten Kunstakademie zu gelangen. Die erhaltenen Arbeiten, vielfach Zeichnungen, zeigen klassizistische, gelegentlich fast romantische Züge. Es gibt Landschaften, Naturszenen mit antiken Tempeln und Ruinen, Mythologisches und Bukolisches. Bach findet alsbald Abnehmer und muss einzelne Stücke sogar wiederholen. Von Hamburg aus verwendet sich Lessing für den Sohn seines Freundes Carl Philipp Emanuel Bach: Der Dresdener Bibliothekar Karl Wilhelm Daßdorf wird aufgefordert, dem jungen Mann Mut für eine Bewerbung an der Akademie zu machen, denn er «verspricht einen ebenso großen und originellen Maler, als seine Vorfahren Künstler gewesen sind»[202].

Ende 1776 bricht Bach zu einer Italienreise auf, die über Wien, Triest, Venedig, Bologna, Ancona, Loretto und Terni nach Rom führt, wo er jedoch alsbald gefährlich erkrankt. *Mein armer Sohn in Rom liegt seit 5 Monaten an einer höchst schmerzhaften Krankheit danieder, u. ist noch nicht aus aller Gefahr. O Gott, was leidet mein Herz!*, so schreibt der Vater am 20. Juni 1777 an Johann Nicolaus Forkel.[203] Wenig später klagt er Breitkopf: *Mein armer Beutel blutet gewaltig; an Aerzte, Chirurgos, Medicamente, Aufwartung habe ich an 100 Ducaten vor 14 Tagen hinschicken müßen; außerdem muß ich eine starke Pension für den armen Schelm geben.*[204] Doch alle Mühe ist vergebens: Im Schubert-Alter von nicht einmal dreißig Jahren stirbt der Sohn am 11. September 1778 in Rom, und man beerdigt ihn auf dem protestantischen Friedhof an der Cestius-Pyramide. Der Vater komponiert auf seinen Tod das Rondo in a-Moll (Wq 56, 5).

ANMERKUNGEN

Abgekürzt zitierte Literatur:

Bitter: Carl Heinrich Bitter: Carl Philipp Emanuel und Wilhelm Friedemann Bach und deren Brüder. 2 Bde., Berlin 1886, Reprint Leipzig 1973

Dok: Bach-Dokumente. Herausgegeben vom Bach-Archiv Leipzig. Bd. 1–3, Kassel und Leipzig 1963–1972

Forkel: Johann Nicolaus Forkel: Ueber Johann Sebastian Bachs Leben, Kunst und Kunstwerke. Leipzig 1802

Gärtner: Heinz Gärtner: Johann Christian Bach. Mozarts Freund und Lehrmeister. München 1989

Ottenberg: Hans-Günter Ottenberg: Carl Philipp Emanuel Bach. Spurensuche. Leben und Werk in Selbstzeugnissen und Dokumenten seiner Zeitgenossen. Leipzig 1994

Schünemann: Georg Schünemann: Johann Christoph Friedrich Bach. In: Bach-Jahrbuch 1914, S. 45–165

Suchalla: Ernst Suchalla (Hg.): Carl Philipp Emanuel Bach. Briefe und Dokumente. Kritische Gesamtausgabe. 2 Bde., Göttingen 1994

Vignal: Marc Vignal: Die Bach-Söhne. Aus dem Französischen von Antje Müller. Laaber 1999

Wiermann: Barbara Wiermann: Carl Philipp Emanuel Bach. Dokumente zu Leben und Wirken aus der zeitgenössischen hamburgischen Presse. Hildesheim 2000

1 Dok 2, S. 21
2 Dok 2, S. 82
3 Reinhard Szeskus: «und mich daher in den betrübtesten Wittben-Stand zu setzen» – Zum Schicksal Anna Magdalena Bachs und ihrer Töchter. In: Leipziger Kalender 2000, S. 109–160
4 Peter Schleuning: Johann Sebastian Bachs «Kunst der Fuge», München und Kassel 1993, S. 93
5 Dok 2, S. 325
6 Dok 2, S. 384
7 Dok 2, S. 392
8 Forkel, S. 48
9 Bitter, Bd. 2, S. 166
10 Peter Wollny: Ein Quellenfund in Kiew. Unbekannte Kontrapunktstudien von Johann Sebastian und Wilhelm Friedemann Bach. In: Ulrich Leisinger (Hg.): Bach in Leipzig – Bach und Leipzig. Konferenzbericht Leipzig 2000. Hildesheim 2002, S. 275 ff.
11 Dok 2, S. 20
12 Peter Wollny: Wilhelm Friedemann Bach's Halle Performances of Cantatas by his Father. In: Bach-Studies Bd. 2, hg. von Daniel R. Melamed. Cambridge 1995, S. 202–228
13 Dok. 3, S. 148
14 So lautet der Titel einer Veröffentlichung von Friedrich Wilhelm Marpurg
15 Christoph Wolff: Probleme und Neuansätze der Bach-Biographik. In: Reinhold Brinkmann (Hg.), Bachforschung und Bachinterpretation heute. Leipzig 1981, S. 29
16 Dok 1, S. 107
17 Christoph Henzel: Zu Wilhelm Friedemann Bachs Berliner Jahren. In: Bach-Jahrbuch 1992, S. 110–112
18 Dok 3, S. 264
19 Dok 3, S. 276. – Deutsche Übersetzung nach Vignal, S. 264
20 Christian Daniel Friedrich Schubart: Ideen zu einer Ästhetik der Tonkunst, Wien 1806 (Reprint Hildesheim 1969), S. 89
21 Henzel, wie Anm. 17, S. 109
22 Bitter, Bd. 2, S. 322
23 Bitter, Bd. 2, S. 323
24 Uwe Naumann (Hg.): «Ruhe gibt es nicht, bis zum Schluß». Klaus Mann (1906–1949). Reinbek 2001, S. 195
25 Schubart, wie Anm. 20, S. 89
26 Peter Schleuning: Die freie Fantasie. Ein Beitrag zur Erforschung der

klassischen Klaviermusik. Göppingen 1973, S. 144
27 Forkel, S. 44
28 Schleuning: Die freie Fantasie, S. 249 f.
29 Peter Wollny: Allgemeine Strategien in Bachs 1. Leipziger Kantatenjahrgang. In: Martin Geck (Hg.): Bachs 1. Leipziger Kantatenjahrgang. Bericht über das 3. Dortmunder Bach-Symposion 2000. Dortmund 2002, S. 26
30 Karl Geiringer: Die Musikerfamilie Bach. München 1958, S. 373
31 Ottenberg, S. 19
32 Ottenberg, S. 28
33 Ebenda
34 Ottenberg, S. 19
35 Ebenda
36 Ebenda
37 Ottenberg, S. 20
38 Ottenberg, S. 40
39 Dok 3, 148
40 Ottenberg, S. 35
41 Bitter, Bd. 1, S. 182
42 Suchalla, Bd. 2, S. 1311
43 Suchalla, Bd. 2, S. 1113
44 Suchalla, Bd. 1, S. 58
45 Darrell M. Berg: Carl Philipp Emanuel Bach und Anna Louisa Karsch. In: Ulrich Leisinger und Hans-Günter Ottenberg (Hg.): Carl Philipp Emanuel Bachs geistliche Musik. Frankfurt (Oder) 2001, S. 55
46 Christian Fürchtegott Gellert: Sämtliche Schriften. Hg. von Julius Ludwig Klee. Leipzig 1839, Teil 8–10, S. 246
47 Ottenberg, S. 264 f.
48 Allgemeine Musikalische Zeitung, Leipzig 1811, Sp. 548
49 Georg August Griesinger: Biographische Notizen über Joseph Haydn. Leipzig 1810, Neudruck Wien 1954, S. 13
50 Ludwig Finscher: Joseph Haydn und seine Zeit. Laaber 2000, S. 428 ff.
51 Wolfgang Horn: Carl Philipp Emanuel Bach. Frühe Klaviersonaten. Hamburg 1988, S. 112
52 Suchalla, Bd. 1, S. 149
53 Wiermann, S. 227
54 Wiermann, S. 119
55 Wiermann, S. 209
56 Friedrich Wilhelm Marpurg: Des critischen Musicus an der Spree erster Band. Berlin 1750, S. 217
57 Wiermann, S. 324
58 Suchalla, Bd. 1, S. 127
59 William J. Mitchell: C. Ph. E. Bach's Essay. An Introduction. In: The Musical Quarterly 33 (1947), S. 461 f.
60 Wiermann, S. 77 f.
61 Carl Philipp Emanuel Bach: Versuch über die wahre Art das Clavier zu spielen. Berlin 1753, S. 117
62 Ebenda, S. 122 u. S. 119
63 Ebenda, S. 122
64 Ottenberg, S. 78 f.
65 Wiermann, S. 119 f.
66 Lessings Werke. Vollständige Ausgabe in 25 Bänden, Teil 19. Hg. von Edmund Stemplinger. Berlin usw. o. J., S. 213 f.
67 Suchalla, Bd. 1, S. 452
68 Johann Adam Hiller: Wöchentliche Nachrichten und Anmerkungen, die Musik betreffend. Bd. 2, 1767/68, S. 14
69 Peter Schleuning: Der Bürger erhebt sich. Geschichte der deutschen Musik im 18. Jahrhundert. Stuttgart und Weimar ²2000, S. 430 f.
70 A. Hyatt King: Mozart im Spiegel der Geschichte 1756–1956. Kassel 1956, S. 14
71 Suchalla, Bd. 1, S. 118
72 Wiermann, S. 68
73 Vgl. Barbara Wiermann: Carl Philipp Emanuel Bachs Gottesdienstmusiken. In: Leisinger und Ottenberg (Hg.): C. Ph. E. Bachs geistliche Musik, S. 85–103; Reginald L. Sanders: Carl Philipp Emanuel Bach und die Musik im Gottesdienst der Hamburger Hauptkirchen, ebenda, S. 104–115
74 Joachim Kremer: Das norddeut-

sche Kantorat im 18. Jahrhundert. Untersuchungen am Beispiel Hamburgs. Kassel usw. 1995, S. 203

Kremer, S. 185

Suchalla, Bd. 1, S. 148 f.

Ottenberg, S. 74

Rachel W. Wade: Carl Philipp Emanuel Bach als Musikdirektor in Hamburg. In: Leisinger und Ottenberg (Hg.): C. Ph. E. Bachs geistliche Musik, S. 82

Ottenberg, S. 74

Ernst Fritz Schmidt: Carl Philipp Emanuel Bach und seine Kammermusik. Kassel 1931, S. 37 f.

Wiermann, S. 452

Wiermann, S. 454

Johann Friedrich Reichardt: Briefe eines aufmerksamen Reisenden die Musik betreffend. Teil II, Frankfurt a. M. und Leipzig 1776, S. 13 ff. (nicht bei Suchalla)

4 Suchalla, Bd. 2, S. 1228

5 Suchalla, Bd. 2, S. 1240

6 Wiermann, S. 224

7 Wiermann, S. 398

8 Suchalla, Bd. 1, S. 694

9 Wiermann, S. 194

9 Wiermann, S. 237

Suchalla, Bd. 1, S. 841

2 Ottenberg, S. 223

3 Suchalla, Bd. 1, S. 786

4 Hans-Günter Ottenberg: Die Klaviersonaten Wq 55 im Verlage des Autors. In: Heinrich Poos (Hg.): Carl Philipp Emanuel Bach. Beiträge zu Leben und Werk. Mainz usw. 1993, S. 34

5 Suchalla, Bd. 2, S. 955

6 Suchalla, Bd. 2, S. 1036

7 Ottenberg, S. 162

8 Suchalla, Bd. 1, S. 475

9 Suchalla, Bd. 1, S. 71

00 Ottenberg, S. 225

01 Suchalla, Bd. 2, S. 1263

02 Suchalla, Bd. 1, S. 197

03 Carl Friedrich Cramer: Magazin der Musik I/1783, Reprint Hildesheim 1971, S. 36

04 Arnfried Edler: Wenn man alt ist, so legt man sich aufs spaßen.

Humor und Melancholie in Carl Philipp Emanuel Bachs Klavierrondi. In: Martin Geck. Festschrift zum 65. Geburtstag. Dortmund 2001, S. 250

105 Suchalla, Bd. 2, S. 891

106 Gesammelte Schriften und Schicksale, Vorrede zu Bd. 3. Stuttgart 1839, S. 8

107 Stefan Kunze: Die Sinfonie im 18. Jahrhundert. In: Handbuch der musikalischen Gattungen. Bd. 1. Laaber 1993, S. 245

108 Albrecht v. Massow: Musikalisches Subjekt. Idee und Entstehung in der Moderne. Freiburg i. Br. 2001, S. 259

109 Ludwig Finscher: Stille in der Musik. In: Christoph-Hellmut Mahling, Ruth Seiberts: Festschrift Walter Wiora zum 90. Geburtstag. Tutzing 1997, S. 103

110 Forkel, S. 44

111 Karl Richter (Hg.): Goethe. Sämtliche Werke. Bd. 20.1, München 1991, S. 338

112 Ottenberg, S. 24

113 Suchalla, Bd. 1, S. 712

114 Ottenberg, S. 82

115 Denis Diderot: Ästhetische Schriften. Hg. von F. Bassenge und T. Lücke. Bd. 2, Berlin u. Weimar 1967, S. 464

116 Ottenberg, S. 83 f.

117 Ottenberg, S. 79

118 Ottenberg, S. 84

119 Ottenberg, S. 86

120 Ottenberg, S. 122

121 Wiermann, S. 119 f.

122 Schleuning: Der Bürger erhebt sich, S. 400

123 Hans Werner Henze: Die englische Katze. Ein Arbeitsbuch 1978 bis 1982. Frankfurt a. M. 1983, S. 95

124 Die Bezeichnung «Quartett» wohl deshalb, weil rechte und linke Hand des Klaviers kompositionstechnisch als gesonderte Stimmen zählen.

125 Friedhelm Krummacher: Kontinuität im Experiment. Die späten

Quartette von Carl Philipp Emanuel Bach. In: Hans Joachim Marx (Hg.): Carl Philipp Emanuel Bach und die europäische Musikkultur des mittleren 18. Jahrhunderts. Göttingen 1990, S. 266

126 Ernst Fritz Schmid: Vorwort zum Neudruck der 3 Klavierquartette Wq 93–95. Kassel und Basel 1952

127 Suchalla, Bd. 2, S. 1240

128 Suchalla Bd. 2, S. 1283

129 Ottenberg, S. 99 u. S. 100 f.

130 Schleuning: Der Bürger erhebt sich, S. 361

131 Ebenda, S. 363

132 Dok 2, S. 363

133 Vgl. Dok 2, S. 225

134 Forkel, S. 44

135 Dok 1, S. 123

136 Dok 1, S. 123

137 Schünemann, S. 55

138 Barbara Wiermann: Johann Christoph Friedrich Bachs Berufung an die evangelisch-lutherische Hauptkirche in Altona. In: Bach-Jahrbuch 1998, S. 153

139 Ebenda, S. 159

140 Hannsdieter Wohlfarth: Johann Christoph Friedrich Bach. Bern 1971, S. 53

141 Schünemann, S. 154

142 Schünemann, S. 58.

143 Karl Gottlieb Horstig: Joh. Christoph Friedrich Bach. In: Nekrolog auf das Jahr 1795. Hg. von Friedrich Schlichtegroll, Bd. 1, Gotha 1797, S. 267 f.

144 Heinrich Sievers: Hannoversche Musikgeschichte: Dokumente, Kritiken und Meinungen. Bd. 1, Tutzing 1979, S. 278–280

145 Ulrich Leisinger: Komposition nach Vorbild – Zur Aneignung des italienischen Vokalstils bei Johann Christoph Friedrich Bach. Ms 1999

146 Schünemann, S. 59

147 Schünemann, S. 65 f.

148 Schünemann, S. 71

149 Georg Schünemann: Friedrich Bachs Briefwechsel mit Gerstenberg und Breitkopf. In: Bach-Jahrbuch 1916, S. 21

150 Ebenda

151 Ebenda, S. 22

152 Johann Gottfried Herder: Briefe. Hg. von Karl-Heinz Hahn. Bd. 2, Weimar 1977, S. 36 f.

153 Schünemann, S. 65

154 Ulrich Leisinger: Die geistlichen Vokalwerke von Johann Christoph Friedrich Bach – Aspekte der Entstehungs- und Überlieferungsgeschichte. In: Bach-Jahrbuch 1995, S. 126 f.

155 Eine Übersicht ebenda, S. 133–140

156 Leisinger, in: Bach-Jahrbuch 1995, S. 136–140

157 Ulrich Leisinger: Johann Christoph Friedrich Bach as a Keyboard Composer. In: Early Keyboard Journal, Bd. 13, 1995, S. 20

158 Schünemann, in: Bach-Jahrbuch 1916, S. 33

159 Bettina Faulstich: Über Handschriften aus dem Besitz der Familie von Ingenheim. In: Acht kleine Präludien und Studien über BACH. Georg von Dadelsen zum 70. Geburtstag, Wiesbaden usw. 1992, S. 54

160 Schünemann, in: Bach-Jahrbuch 1916, S. 34

161 Vgl. dazu Ulrich Leisinger: Johann Christoph Friedrich Bach und Franz Christoph Neubauer. Eine musikalische Doppelbiographie. In: Christoph Wolff (Hg.): Über Leben, Kunst und Kunstwerke: Aspekte musikalischer Biographie. Leipzig 1999, S. 236–269

162 Karl Gottlieb Horstig: Franziskus Neubauer. In: Nekrolog auf das Jahr 1795. Hg von Friedrich Schlichtegroll, Bd. 2, Gotha 1798, S. 398

163 Ebenda

164 Horstig, wie Anm. 143

165 Dok. 3, S. 519

56 Frank Wedekind: Dramen 1. Berlin 1969, S. 497

57 Dok 1, S. 261

58 Dok 3, S. 291

59 Dok 1, S. 209

70 Dok 2, S. 503

71 Gärtner, S. 145 ff.

72 Heinrich Miesner: Bach-Gräber im Ausland. In: Bach-Jahrbuch 1936, S. 109 f.

73 Diese Jahreszahl nach Ernest Warburton, in: MGG, 2. Aufl., Personenteil, Bd. 1, Sp. 1359. – Vignal, S. 166, nennt einen Termin vor Januar 1756

74 Dok 1, S. 267

75 Das Gros der Briefe in deutscher Übersetzung bei Gärtner, S. 159ff. Der originale italienische Wortlaut in: Collected Works. Hg. von Ernest Warburton. Bd. 48.2

76 Gärtner, S. 168

77 Gärtner, S. 170 f.

78 Gärtner, S. 190

79 Warburton, in: MGG 1, Sp. 1360

80 Gärtner, S. 192

81 Gärtner, S. 184

82 Gärtner, S. 202

83 Gärtner, S. 208f.

84 Gärtner, S. 208

85 Reinhard Strohm: Dramma per Musica. Italian Opera Seria of the Eighteenth Century. New Haven, London 1997, S. 15f.

86 Gärtner, S. 215

87 Gärtner, S. 228

88 Mozart. Briefe und Aufzeichnungen. Gesamtausgabe. Bd. 1, Kassel usw. 1962, S. 151f.

89 Mozart. Die Dokumente seines Lebens. Leipzig 1961, S. 400

190 Gärtner, S. 301

191 Carl Dahlhaus (Hg.): Die Musik des 18. Jahrhunderts. Laaber 1985, S. 268 (Neues Handbuch der Musikwissenschaft Bd. 5)

192 Gärtner, S. 347

193 Mozart. Briefe und Aufzeichnungen, Bd. 2, S. 458

194 Ebenda. S. 377 und S. 304. Zum Vergleich der Vertonungen s. Gernot Gruber: Mozarts «Schreibart». In: Matthias Brzoska und Michael Heinemann (Hg.): Die Musik der Klassik und Romantik. Laaber 2001, S. 145–155. Zum Gesamtvergleich: Silke Leopold: «Er ist der Vater, wir sind die Bub'n». Über Mozarts schöpferische Auseinandersetzung mit C. Ph. E. Bach. In: Festschrift H.-Chr. Mahling. Tutzing 1997, S. 755–769

195 Wilhelm Heinse: Hildegard von Hohenthal. In: Sämtliche Werke. Hg. von Carl Schüddekopf. Bd. 5/6, Leipzig 1903

196 Vignal, S. 245

197 Mozart. Briefe und Aufzeichnungen, Bd. 3, S. 201

198 Forkel, S. 44

199 Bitter, Bd. 2, S. 147

200 Dok 3, S. 507

201 Maria Hübner: Der Zeichner Johann Sebastian Bach d. J. In: Bach-Jahrbuch 1998, S. 189, Abbildung der «Brettmühle» dort S. 198

202 Gotthold Ephraim Lessing: Sämtliche Schriften. Hg. von Karl Lachmann und Franz Munker. Bd. 18, Stuttgart 1907, S. 199

203 Suchalla, Bd. 1, S. 637

204 Suchalla, Bd. 1, S. 637

1707   Am 17. Oktober heiratet Johann Sebastian Bach, zu dieser Zeit Organist in Mühlhausen, Maria Barbara Bach, eine Cousine zweiten Grades.

1710   In Weimar, wo Bach inzwischen als Hofmusiker wirkt, wird dem Paar am 22. November der älteste Sohn Wilhelm Friedemann geboren.

1714   Johann Sebastian Bach erhält seine Ernennung zum Konzertmeister am Weimarer Hof und erlebt am 8. März die Geburt seines Sohnes Carl Philipp Emanuel.

1720   Johann Sebastian Bach ist als Hofkapellmeister in Köthen tätig. Dort stirbt Anfang Juli seine Frau Maria Barbara. Sie wird am 7. Juli begraben.

1721   Am 3. Dezember heiratet Johann Sebastian Bach in Köthen die Kammersängerin Anna Magdalena Wilcke.

1723   Im Frühjahr siedelt Johann Sebastian Bach als Thomaskantor und Director Musices nach Leipzig über. Wilhelm Friedemann und Carl Philipp Emanuel werden Thomasschüler.

1729   Wilhelm Friedemann Bach lässt sich an der Leipziger Universität in den Fächern Jura, Philosophie und Mathematik einschreiben.

1731   Carl Philipp Emanuel Bach bezieht als Student der Rechte die Leipziger Universität.

1732   Am 21. Juni wird Johann Christoph Friedrich Bach geboren.

1733   Wilhelm Friedemann tritt das Amt eines Sophienorganisten in Dresden an.

1734   Carl Philipp Emanuel setzt sein Jura-Studium in Frankfurt an der Oder fort.

1735   Am 5. September wird Johann Christian Bach geboren.

1738   Carl Philipp Emanuel Bach wird Cembalist in der Kapelle des Kronprinzen und nachmaligen Königs Friedrich II. von Preußen.

1740   Carl Philipp Emanuel Bach wird als Cembalist der preußischen Hofkapelle förmlich angestellt.

1744   Carl Philipp Emanuel Bach heiratet in Berlin Johanna Maria Dannemann.

1746   Wilhelm Friedemann Bach geht als Organist an die Frauenkirche nach Halle.

1748   Am 26. September wird Johann Sebastian Bach d. J., Sohn von Carl Philipp Emanuel, geboren.

1750   Anfang des Jahres ist Johann Christoph Friedrich Bach als Hofcembalist in Bückeburg nachweisbar. Am 28. Juli stirbt Johann Sebastian Bach. Im Herbst wird sein Erbe unter der Witwe und den Kindern aus zwei Ehen verteilt. Im November zieht Johann Christian zu seinem Halbbruder Carl Philipp Emanuel Bach nach Berlin.

1751   Wilhelm Friedemann Bach heiratet in Halle Dorothea Elisabeth Georgi.

1754   Vermutlich in diesem Jahr geht Johann Christian Bach nach Italien. Er studiert bei Padre Martini in Bologna und ist Angestellter des Grafen Agostino Litta in Mailand.

1755   Johann Christoph Friedrich Bach heiratet in Bückeburg Lucia Elisabeth Münchhausen.

1759   Am 24. Mai wird in Bückeburg Wilhelm Friedrich Ernst getauft, Sohn von Johann Christoph Friedrich Bach. Dieser wird zum Konzertmeister ernannt.

1760   Im Februar stirbt Anna Magdalena Bach. Im Juni wird Johann Christian Bach zweiter Organist am Mailänder Dom. Im Dezember führt man am Teatro Regio in Turin seine erste Oper auf.

1762   Johann Christian Bach geht nach London ans King's Theatre. Er wird bis zum Ende seines Lebens in London bleiben: als Opern- und Instrumentalkomponist, als Musikmeister am Königshaus und als Mitorganisator der bekannten Bach-Abel-Concerts.

1764   Wilhelm Friedemann Bach kündigt seine Stelle in Halle.

1768   Carl Philipp Emanuel Bach tritt in Hamburg in sein Amt als Kantor am Johanneum und Director Musices der fünf Hauptkirchen an.

1771   Wilhelm Friedemann Bach weilt in Braunschweig, wo er sich vergeblich um eine Organistenstelle bemüht.

1774   Wilhelm Friedemann Bach zieht nach Berlin und lebt dort bis zu seinem Tode ohne feste Anstellung.

Nach 1774   Johann Christian Bach heiratet Cecilia Grassi, der Zeitpunkt der Eheschließung ist unbekannt.

1777   Johann Sebastian Bach d. J. stirbt in Rom.

1778   Johann Christoph Friedrich und Sohn Wilhelm Friedrich Ernst weilen zu einem längeren Besuch bei Johann Christian Bach in London.

1782   Am Neujahrstag stirbt Johann Christian Bach in der Nähe von London.

1784   Am 1. Juli stirbt Wilhelm Friedemann Bach in Berlin.

1788   Am 14. Dezember stirbt Carl Philipp Emanuel Bach in Hamburg.

1795   Am 26. Januar stirbt Johann Christoph Friedrich Bach in Bückeburg.

1845   Am 25. Dezember stirbt in Berlin Wilhelm Friedrich Ernst Bach, Enkel von Johann Sebastian Bach und letzter Namensträger in direkter Linie.

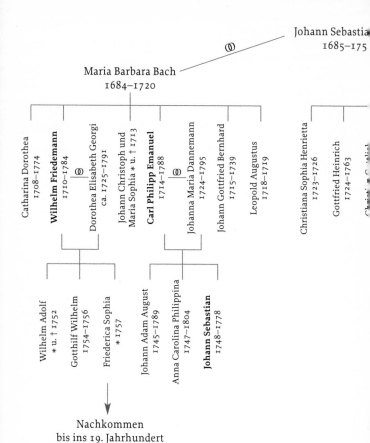

Johann Sebastia
1685–175

Maria Barbara Bach
1684–1720

Catharina Dorothea
1708–1774

Wilhelm Friedemann
1710–1784
ⓦ
Dorothea Elisabeth Georgi
ca. 1725–1791

Johann Christoph und
Maria Sophia * u. † 1713

Carl Philipp Emanuel
1714–1788
ⓦ
Johanna Maria Dannemann
1724–1795

Johann Gottfried Bernhard
1715–1739

Leopold Augustus
1718–1719

Christiana Sophia Henrietta
1723–1726

Gottfried Heinrich
1724–1763

Christi... . Gottlieb

Wilhelm Adolf
* u. † 1752

Gotthilf Wilhelm
1754–1756

Friederica Sophia
* 1757

Johann Adam August
1745–1789

Anna Carolina Philippina
1747–1804

Johann Sebastian
1748–1778

Nachkommen
bis ins 19. Jahrhundert

Johann Sebastian Bachs Nachkommen

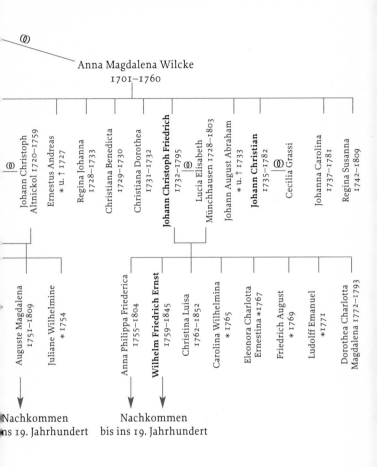

∞

Anna Magdalena Wilcke
1701–1760

∞

Johann Christoph
Altnickol 1720–1759

Ernestus Andreas
* u. † 1727

Regina Johanna
1728–1733

Christiana Benedicta
1729–1730

Christiana Dorothea
1731–1732

Johann Christoph Friedrich
1732–1795

∞

Lucia Elisabeth
Münchhausen 1728–1803

Johann August Abraham
* u. † 1733

Johann Christian
1735–1782

∞

Cecilia Grassi

Johanna Carolina
1737–1781

Regina Susanna
1742–1809

Auguste Magdalena
1751–1809

Juliane Wilhelmine
* 1754

Anna Philippa Friederica
1755–1804

Wilhelm Friedrich Ernst
1759–1845

Christina Luisa
1762–1852

Carolina Wilhelmina
* 1765

Eleonora Charlotta
Ernestina * 1767

Friedrich August
* 1769

Ludolff Emanuel
* 1771

Dorothea Charlotta
Magdalena 1772–1793

↓   ↓   ↓

Nachkommen   Nachkommen
ns 19. Jahrhundert   bis ins 19. Jahrhundert

Über alle Brüder

Der alte Sebastian hatte drey Söhne. Er war nur mit dem Friedemann, dem großen Orgelspieler, zufrieden. Selbst von Carl Philipp Emanuel sagte er (ungerecht!) 's is Berliner Blau! 's verschießt! – Auf den Londoner Chrétien Bach wandte er den Gellertschen Vers immer an: Der Jürge kömmt gewiß durch seine Dummheit fort! Auch hat dieser wirklich unter den drey Bachen die größte Fortüne gemacht. – Ich habe diese Urtheile aus Friedemanns Munde selbst.
1792 von Karl Friedrich Cramer übermittelte Anekdote, nach: Dok 3, S. 518

Fast täglich während seines langen Aufenthalts in Leipzig, schrieb er 1784 an seinen Sohn, habe er mit dem berühmten Karl Philipp Emanuel Bach Umgang gepflogen und zuweilen ein Solo oder ein Konzert im Musikkolleg seines Vaters gespielt. Der älteste der drei Bachs seiner Bekanntschaft, Wilhelm Friedemann, habe den etwas affektierten Elegant herausgekehrt; dagegen habe sich der zweite, eben jener Karl Philipp Emanuel, zum Unterschied von seinen Brüdern «der schwarze Bach» genannt, durch Natürlichkeit, Tiefe und Nachdenklichkeit ausgezeichnet und sei trotzdem ein lustiger Gesellschafter gewesen. Der 1782 in London gestorbene dritte endlich, «Der Windige», habe häufig mit ihm Duette auf der Traversflöte gespielt.
Inhaltsangabe eines verschollenen Briefes von Jacob von Stählin an seinen Sohn, nach: Dok 3, S. 408. Bezüglich Johann Christian Bach liegt eine Verwechslung – vermutlich mit Johann Gottfried Bach – vor.

Die Geschichte der Kunst weis kein Beispiel, daß in Einer Familie hintereinander so grose Meister auftraten. Sebastian, der Vater, war der größte Harmoniker seiner Zeit, Emanuel, noch gröser, als er; Erdmann [Wilhelm Friedemann] Bach, der größte Orgelspieler in der Welt und der Londner Bach, seiner Zeit ein in ganz Europa hochgeschätzer Komponist und Flügelspieler. Emanuel Bach, diente 30 Jahre im Orchester des grosen Friedrichs, und kam nach diesem an Telemans Stelle. Mit ihm ist nun diese grose musikalische Familie ausgestorben.
Christian Friedrich Daniel Schubart 1788, nach: Dok 3, S. 445

Wilhelm Friedemann ist schon im äußeren Ablauf seines Lebens Kind einer neuen Zeit. Früher hatte man für verbummelte Genies, die es in keiner festen Stellung aushielten, wenig Interesse. Das Fragmentarische, Ungezügelte seines Lebens, das ihn zum geborenen Helden schlechter Romane macht, dringt nicht ins in seine Musik; sie ist gekonnt und sensibel.

Christoph Friedrich Bach, der «Bückeburger» (man pflegt die Söhne nach den Orten ihrer Wirksamkeit zu unterscheiden), ist in jeder Beziehung das Gegenstück zu ihm. Er ist ein tüchtiger Kapellmeister in beamteter Stellung und komponiert, was der Tag von ihm fordert. Seine Handschrift ist sauber und klar, seine Technik solide; seine Kammermusik hat Niveau, aber wenig eigenes Gesicht.

Johann Christian, der jüngste Sohn, der «Londoner» Bach, ist der eindeutige Repräsentant eines neuen Zeitgefühls. Sein Weg führt ihn nach Mailand (wo der Sohn des Thomaskantors zum Katholizismus übertritt und Domorganist wird!); später beherrscht er das Musikleben Londons. Er schreibt leicht und wahllos, produziert in allen Gattungen der Musik. Stamitz und die Mannheimer haben entscheidend auf ihn eingewirkt; aber er selbst ist schon der Typus einer zweiten, späteren Generation, in welcher der Neue Stil elegant und fließend, aber auch flach wird.

Zwischen ihnen steht Philipp Emanuel als der merkwürdigste und eigenartigste. Er lebte von 1738–1767 in Berlin, im Kreise der Friederizianischen Musiker, und ging später als Kirchenmusikdirektor nach Hamburg. Seine Wertkurve ist schwankend: früher hielt man ihn für ein Genie, während ihm die jüngere Wissenschaft sogar das Talent absprechen möchte.

Es muß zugegeben werden, daß seine Werke von ungleichem Wert sind, aber in jeder Gattung finden sich einzelne Stücke von überragender Höhe. Dennoch würden wir Philipp Emanuel nicht gerecht, wollten wir ihn nur als Komponisten werten. Er gehört zu denen, die dem Neuen Stil in Deutschland den Boden bereiten. Wir bejahen ihn als Persönlichkeit, als den geistigen Führer, den Propheten seiner Zeit. Sein Ausgangspunkt ist das Klavier, aber er umfaßt von hier aus den gesamten Stilkreis der Instrumentalmusik.
Hans Mersmann, Eine Deutsche Musikgeschichte. Potsdam, Berlin 1934, S. 272 f.

Über Wilhelm Friedemann Bach

Dieser Friedem. Bach (der Hallische) war der vollkommenste Orgelspieler den ich gekannt habe. Er war hier i. J. 1784 gestorben als ich schon Bürger und Meister war. Er wurde für eigensinnig gehalten wenn er nicht jedem aufspielen wollte; gegen uns junge Leute war er's nicht und spielte Stundenlang. Als Komponist hatte er den Tic douloureux original zu sein, sich vom Vater und Brüdern zu entfernen und geriet darüber ins Pritzelhafte Kleinliche, Unfruchtbare woran er auch leicht erkannt wurde wie einer

der die Augen zumacht um unsichtbar zu sein.
Carl Friedrich Zelter an Goethe, 6.–11. April 1829, in den Wochen der Wiederaufführung der «Matthäuspassion» durch Felix Mendelssohn Bartholdy

Bei J. S. Bach herrschte die reine Kunst der Töne vor – bei Friedemann B. wird die Musik zur Zeichenkunst des Gemüths, was sie, von ihm an bis zu uns, in Deutschland mit wenigen Ausnahmen bleibt. Friedem. scheint mir in dieser Beziehung sehr wichtig; denn er hält noch zwischen Tonkunst und Gemüthszeichnung die glückliche Mitte, was nachher oft ins überschwengliche ging, wobei die Kunst der Töne leiden mußte.
Der Bach-Editor Friedrich Konrad Griepenkerl am 2. Februar 1849 an den Bibliothekar Wilhelm Dehn, nach: Bach-Jahrbuch 1978, S. 221

Über Carl Philipp Emanuel Bach

Daß Herr Bach so nahe gewesen ist, und mich nicht besucht hat, ist nicht halb recht. Was für furchtsame Seelen sind die Virtuosen? Er hat sich für Soubise [den französischen Heerführer im Siebenjährigen Krieg] gefürchtet. Er hätte einen so schönen Topf mit Krausbeeren für ihn, bey mir angetroffen.
Der Dichter Johann Wilhelm Ludwig Gleim über einen nicht zustande gekommenen Besuch seines Freundes im Dezember 1758. Gleimhaus Halberstadt

Da er nahe bey Hamburg gebürtig ist, sagte er mir, es freute ihn, daß ich über diese Stadt reisen wollte, nicht nur deswegen, weil es sein Vaterland wäre, sondern weil ich dort den grossen Emanuel Bach, den er sehr verehrte, sehen und die besten Organisten und Orgeln in der ganzen Welt zu hören bekommen würde, wofern solche nicht, seit der Zeit, daß er dort gewesen, sehr aus der Art geschlagen wären. Vor allen Dingen empfahl er mir sehr, ich möchte Bach anliegen, daß er mir auf den Clavier vorspielte, und daß ich mich um eine von seinen Sinfonien, aus dem Emoll [Wq 177] bemühen sollte, welche er für die Beste hielte, die er in seinem Leben gehört hätte.

Ein Urteil des Opernkomponisten Johann Adolph Hasse, mitgeteilt von Charles Burney, Hamburg 1773, nach: Ottenberg, S. 72

Den Fehler am linken Auge in der Natur hat der Mahler aus Höflichkeit vermuthlich aus schonender Güte weggepinselt und ganz unfehlbar damit zugleich – ein beträchtliches von Ausdruck. Seele genug bleibt übrigens noch in Aug und Augenbrauen übrig. Die Nase, zu sehr abgerundet, läßt indeß immer noch genug von Feinheit und würkender Kraft durchscheinen. Der Mund – welch ein einfach gewordener Ausdruck von Feingefühl, Sattheit, Trockenheit, Selbstbewußtheit und Sicherheit; die Unterlippe etwas listig und schwach – aber nur leiser Hauch der Lässigkeit drüber! Die nah an die Lippe gränzende Einkerbung – kräftigt wieder sehr. Feste, Heiterkeit, Muth und Drang ist in der Stirne. Ich weiß nicht, ob's Trug ist – wenigstens scheint's mir, daß der untere Theil des Gesichts bey den mehresten Virtuosen, die ich im Urbilde oder Nachbilde sah, nicht ganz vorteilhaft ist, der Umriß vom Oberkinn ist indeß hier nicht gemein.

Charakteranalyse eines Porträts durch Johann Caspar Lavater, in: Physiognomische Fragmente zur Beförderung der Menschenkenntnis und Menschenliebe. Bd. 3, Leipzig und Winterthur 1777, S. 200 f.

Von Emanuel Bachs Klavierwerke habe ich nur einige Sachen, und doch müssen einige jedem wahren Künstler gewiß nicht allein zum ho-

hen Genuß sondern auch zum Studium dienen, und mein größtes Vergnügen ist es werke die ich nie oder nur selten gesehn, bey einigen wahren Kunstfreunden zu spielen.

Ludwig van Beethoven am 26. Juli 1809 an den Verlag Breitkopf und Härtel, in: Briefwechsel. Gesamtausgabe. Bd. 2, München 1996, S. 72

Dem Sohn Emanuel waren schöne Talente angeerbt. Er feilte, verfeinerte, legte dem vorherrschenden Harmonie- und Figurenwesen Melodie, Gesang unter (erreichte aber seinen Vater als schaffender Musiker nicht, wie Mendelssohn einmal sagte: «es wäre, als wenn ein Zwerg unter die Riesen käme»).

Robert Schumann. Ein Quellenwerk. Hg. von Georg Eismann. Bd. 2, Leipzig 1956, S. 24

Bin jetzt bei der Bearbeitung von Ph. Em. Bach's Claviersonaten. Das dörrt aus und frißt den Humor weg.

Hans von Bülow an Felix Draeseke, 16. Oktober 1860, in: Hans von Bülow: Briefe und Schriften. Bd. 4, Leipzig 1898, S. 344

Über Johann Christoph Friedrich Bach

Außer der Zeit, die er auf die Ausübung der Musik verwendete, brachte er den Vormittag gewöhnlich mit Compositionen zu, den Überrest des Tages widmete er dem freundschaftlichen Umgange oder der gesellschaftlichen Unterhaltung. Obgleich die meisten seiner Compositionen in seinem Pulte verschlossen blieben, so konnte er es doch nicht müde werden, gleich der Seidenraupe seine Gespinste bis auf den letzten Tag seines Lebens fortzuweben.

Aus dem Nachruf des Bückeburger Konsistorialrats Horstig aus dem Jahr 1795, nach: Bach-Jahrbuch 1914, S. 142

Über Johann Christian Bach

Ohnerachtet Hr. Bach so viele und so verschiedene Werke herausgegeben, so ist er doch noch unermüdet, seine blühende Phantasie verläßt ihn nie, und seine Gedanken sind immer neu. Die musikalischen Anstrengungen schwächen seine Gesundheit während seiner mannigfaltigen Vergnügungen sehr wenig; wir möchten also auf noch mehr herrliche Produkte von diesem grosen Meister rechnen.

Georg Joseph Vogler: Betrachtungen der Mannheimer Tonschule. Speyer 1778–1780, nach Gärtner, S. 377

Georg Bach, Capellmeister in England, und wegen seines langen Aufenthaltes daselbst, nur der englische Bach genannt, ein Sohn des unsterblichen Sebastian Bachs. Die hohe Theorie, die er aus den Rippen seines großen Vaters anzog, umgab er mit dem Silberflor des modernen Geschmacks; – eine Riesinn in Filett gehüllt! Mitten unter den Leichtfertigkeiten des Modegeschmacks schimmert immer der Riesengeist seines Vaters durch. Daß aber dieser außerordentliche Mann auch im tiefsinnigen Style seines Bruders und Vaters in Hamburg arbeiten konnte, beweisen verschiedene Claviersonaten, die er zu London herausgab. Sonderlich ist eine Sonate von ihm aus dem FMol [gemeint ist wohl die Sonate c-Moll] bekannt, die mit den gründlichsten und besten Stücken dieser Art wetteifert.

Christian Friedrich Daniel Schubart 1784/85, nach: Dok 3, S. 411

Bibliographie

Die Enzyklopädie «Die Musik in Geschichte und Gegenwart» (= MGG), 2. Aufl., Personenteil Bd. 1, Kassel, Weimar 1999, enthält ausführliche Artikel zu allen vier Bach-Söhnen und zum Enkel Wilhelm Friedrich Ernst Bach. Noch neueren Datums sind die entsprechenden Artikel in: The New Grove. Dictionary of Music and Musicians. Bd. 2, London ²2001. Diese bieten auch detaillierte Literaturangaben. – Der Anmerkungsapparat zu dieser Monographie enthält seinerseits Nachweise von Spezialliteratur.

1. Bücher, die alle vier Bach-Söhne behandeln

Bitter, Carl Heinrich: Carl Philipp Emanuel und Wilhelm Friedemann Bach und deren Brüder. 2 Bde., Berlin 1886, Reprint Leipzig 1973 (nur von historischem Wert)

Die Brüder Bach. Leben und Werk zwischen Barock und Klassik. Herausgeber: András Batta, Autor: Andreas Friesenhagen. Köln 2000 (ein schön aufgemachter Bildband, der zugleich ausgezeichnet informiert)

Geiringer, Karl: Die Musikerfamilie Bach. Leben und Wirken in drei Jahrhunderten. München 1958, englisch New York, 1954

Heinemann, Michael, Hans-Joachim Hinrichsen (Hg.): Bach und die Nachwelt. Bd. 1: 1750–1850. Laaber 1997 (keine speziellen Kapitel zu den Bach-Söhnen, aber viel Material zum Thema «Bach-Pflege» nach dem Tod von Johann Sebastian)

Schleuning, Peter: Der Bürger erhebt sich. Geschichte der deutschen Musik im 18. Jahrhundert. Stuttgart, Weimar 2000 (eine originelle Einführung in den musik- und sozialgeschichtlichen Kontext)

Vignal, Marc: Die Bach-Söhne. Aus dem Französischen von Antje Müller. Laaber 1999 (einschlägig, mit musikwissenschaftlicher Orientierung, jedoch etwas trocken)

Wolff, Christoph, E. Eugene Helm, Ernest Warburton u. a.: Die Bach-Familie. Stuttgart und Weimar 1993 (deutsche Übersetzung der entsprechenden Artikel aus «The New Grove»)

Young, Percy M.: The Bachs. 1500–1850, London 1970; deutsch als: Die Bachs. 1500–1850. Leipzig 1978

2. Werkverzeichnisse

Helm, E. Eugene: Thematic Catalogue of the Works of Carl Philipp Emanuel Bach. New Haven, Leipzig 1989

Leisinger, Ulrich: Thematisch-systematisches Verzeichnis der Werke Johann Christoph Friedrich Bachs. Stuttgart, im Druck (Bach-Repertorium Bd. 4)

Warburton, Ernest: Thematic Catalogue. New York 1999 (The Collected Works of John Christian Bach, Bd. 48:1)

Wollny, Peter: Thematisch-systematisches Verzeichnis der Werke Wilhelm Friedemann Bachs. Stuttgart, im Druck (Bach-Repertorium Bd. 2)

Wotquenne, Alfred: Thematisches Verzeichnis der Werke von Carl Philipp Emanuel Bach. Leipzig 1905

3. Gesamtausgaben

Wilhelm Friedemann Bach. Gesammelte Werke. Hg. von Peter Wollny. 10 Bde., Stuttgart (im Entstehen)

The Collected Works for Solo Keyboard by Carl Philipp Emanuel Bach. Hg. von D. M. Berg. 6 Bde.,

New York 1985 (eine ziemlich vollständige Faksimileausgabe der Klavierwerke)
he Collected Works of Carl Philipp
Emanuel Bach. Hg. vom Packard
Humanities Institute (Los Altos,
Kalifornien, und Cambridge, Mass.)
(die ersten Bände in Vorbereitung)
he Collected Works of Johann
Christian Bach. Hg. von Ernest Warburton. 48 Bde., New York
1984–1999

. Textdokumente

5ie gibt es auf hohem Standard bis-
er nur für C. Ph. E. Bach.)
)ttenberg, Hans-Günther (Hg.): Carl
Philipp Emanuel Bach. Spurensuche. Leben und Werk in Selbstzeugnissen und Dokumenten seiner
Zeitgenossen. Leipzig 1994
uchalla, Ernst (Hg.): Carl Philipp
Emanuel Bach. Briefe und Dokumente. Kritische Gesamtausgabe.
2 Bde., Göttingen 1994
Viermann, Barbara: Carl Philipp
Emanuel Bach. Dokumente zu Leben und Wirken aus der zeitgenössischen hamburgischen Presse. Hildesheim 2000

. Ein jeweils grundlegendes
Buch zu jedem der vier
Söhne

'alck, Martin: Wilhelm Friedemann
Bach. Sein Leben und seine Werke.
Leipzig 1913, 2. Aufl. 1919 (veraltet)
)ttenberg, Hans-Günter: Carl Philipp
Emanuel Bach. Leipzig 1982 (ein-
schlägig, mustergültig, gut lesbar)
Vohlfarth, Hannsdieter: Johann

Christoph Friedrich Bach. Ein Komponist im Vorfeld der Klassik.
Bern 1971 (mit deutlichem Schwerpunkt auf der Instrumentalmusik,
gelegentlich veraltet)
Gärtner, Heinz: Johann Christian
Bach. Mozarts Freund und Lehrmeister, München 1989 (einschlägig und gut lesbar, jedoch etwas
weitschweifig und sensationsfreu-
dig; ohne musikalische Analysen)

6. Weitere Grundlagenwerke

Zu Wilhelm Friedemann Bach
Wollny, Peter: Studies in the music of
Wilhelm Friedemann Bach. Sources
and Style. Diss. Harvard 1993

Zu Carl Philipp Emanuel Bach
Clark, Stephen L. (Hg.): C. Ph. E. Bach
Studies. Oxford 1988
Schriftenreihe Carl-Philipp-Ema-
nuel-Bach-Konzepte,
Frankfurt/Oder 1994ff.
Wagner, Günther: Die Sinfonien Carl
Philipp Emanuel Bachs. Werdende
Gattung und Originalgenie. Stutt-
gart 1994

Zu Johann Christoph Friedrich Bach
Leisinger, Ulrich (Hg): Johann Chris-
toph Friedrich Bach (1732–1795).
Ein Komponist zwischen Barock
und Klassik. Eine Ausstellung im
Niedersächsischen Staatsarchiv
Bückeburg. Bückeburg 1995
Schünemann, Georg: Johann Chris-
toph Friedrich Bach. In: Bach-Jahr-
buch 1914, S. 45–165

Zu Johann Christian Bach
Terry, Charles Sanford: John Christian Bach, London ²1967

Martin Geck, geboren 1936, Studium der Musikwissenschaft, Theologie und Philosophie in Münster, Berlin und Kiel, 1962 Dr. phil., 1966 Gründungsredakteur der Richard-Wagner-Gesamtausgabe, 1970 Lektor in einem Schulbuchverlag, nachfolgend Autor zahlreicher Musikwerke, 1974 Privatdozent, seit 1976 ordentlicher Professor für Musikwissenschaft an der Universität Dortmund, seit 2001 als Emeritus.

Zahlreiche Bücher, Aufsätze, Lexikonartikel und Editionen zur Geschichte der deutschen Musik im 17., 18. und 19. Jahrhundert, speziell zum Werk von Schütz, Buxtehude, Bruhns, Bach, E. T. A. Hoffmann, Mendelssohn Bartholdy und Wagner. Mitherausgeber des Richard-Wagner-Werkverzeichnisses. 1993 erschien das Standardwerk «Von Beethoven bis Mahler. Die Musik des deutschen Idealismus» (als Taschenbuch: rororo 60891). Im Bach-Jahr 2000 veröffentlichte er bei Rowohlt den monographien-Band über Johann Sebastian Bach (rororo 50637) sowie die viel beachtete große Biographie «Bach. Leben und Werk», für die er 2001 den Gleim-Literaturpreis erhielt (als Taschenbuch rororo Sachbuch 61171) 2001 erschien bei Metzler «Zwischen Romantik und Restauration. Musik im Realismus-Diskurs 1848–1871».

QUELLENNACHWEIS DER ABBILDUNGEN

© Bildarchiv Preußischer Kulturbesitz, Berlin: Umschlagvorderseite oben links + 21 (Händel-Museum, Halle), Umschlagvorderseite unten links + 84, Umschlagvorderseite unten rechts + 117 (Museo Musicale, Bologna), 6 (Privatbesitz), 27, 36 (Nationalgalerie Berlin), 56, 68 (Kunsthalle Hamburg), 81, 136 (Kunsthalle Hamburg)

Staatsbibliothek zu Berlin – Preußischer Kulturbesitz, Musikabteilung mit Mendelssohn-Archiv: Umschlagvorderseite oben rechts + 34, Umschlagrückseite oben

Germanisches Nationalmuseum, Nürnberg: 3

Sammlung Bachhaus Eisenach/ Neue Bachgesellschaft e. V.: 7, 8, 9, 16, 17

Filmmuseum Berlin, Deutsche Kinemathek: 13, 29

Aus: C.H. Bitter: Carl Philipp Emanuel und Wilhelm Friedemann und deren Brüder. Bd. II. Berlin 1868: 18

Gleimhaus, Halberstadt: 40 (2), 41 (2), 92

Schleswig-Holsteinische Landesbibliothek, Handschriftenabteilung, Kiel: 46 (Aus: Flora. Erste Sammlung. Enthaltend: Compositionen für Gesang und Klavier von Gräven, Gluck, Bach, Adolph Kunzen, F. L. Ae. Kunzen, Reichardt, Schwanenberger. Hg. von C. F. Cramer. Kiel und Hamburg 1787)

Museum für Hamburgische Geschichte, Hamburg: 52, 61, 64

Universitätsbibliothek Kiel: 71

Aus: Fremdschriftliche und gedruckte Dokumente zur Lebensgeschichte Johann Sebastian Bachs 1685–1750. Kritische Gesamtausgabe. Vorgelegt und erläutert von Werner Neumann und Hans-Joachim Schulze. Kassel u. a. 1969: 83 (Kirchenbuchamt Leipzig, Taufbuch St. Thomas, 1731–1737, fol. 73r)

Fürstliche Schlossverwaltung, Bückeburg: 87 (Foto: Fotostudio Tölle, Iserlohn), 91 (2)

Aus: Walter Haacke: Die Söhne Bachs: Vier Musikerschicksale in der Zeit des Übergangs vom Barock zur Klassik. Königstein im Taunus 1961: 94 (Peter Bach)

By permission of the Houghton Library, Harvard University, Cambridge, Massachusetts: 98 (fMS Mus 67)

Aus: Johann Sebastian Bach: Klavierbüchlein für Anna Magdalena Bach 1725. Faksimile der Originalhandschrift mit einem Nachwort hg. von Georg von Dadelsen. Kassel u. a. 1988 (Mus.ms. Bach 225, Staatsbibliothek zu Berlin – Preußischer Kulturbesitz, Musikabteilung mit Mendelssohn-Archiv): 105

Kloster Einsiedeln, Schweiz: 108, 109 (Fotos: Kälin, Einsiedeln)

Foto SCALA, Florenz: 113

Fotos: akg-images, Berlin: 118 (Mozart Museum, Salzburg), 124 (Victoria & Albert Museum, London), 128, 135

Privatarchiv des Autors: 121

Courtesy of the Huntington Library, Art Collections, and Botanical Gardens, San Marino, California: 123

Aus: Karl Geiringer: Die Musikerfamilie Bach. Leben und Wirken in drei Jahrhunderten. Unter Mitarbeit von Irene Geiringer. München 1958: 132

Stadtgeschichtliches Museum Leipzig: 134

Cinetext, Bild- und Textarchiv, Frankfurt a. M.: Umschlagrückseite unten

Gemälde: Elias Gottlob Haußmann

rowohlts monographien

Kunst und Musik

Max Beckmann
Stephan Reimertz
3-499-50558-4

Pablo Picasso
Wilfried Wiegand
3-499-50205-4

Vincent van Gogh
Stefan Koldehoff
3-499-50620-3

Leonardo da Vinci
Kenneth Clark
3-499-50153-8

Alma Mahler-Werfel
Astrid Seele
3-499-50628-9

Michelangelo
Heinrich Koch
3-499-50124-4

Claude Monet
Matthias Arnold
3-499-50402-2

Hildegard von Bingen
Helene M. Kastinger Riley
3-499-50469-3

Johann Sebastian Bach
Martin Geck
3-499-50637-8

Joseph Haydn
Claudia Maria Knispel
3-499-50603-3

Ludwig van Beethoven
Martin Geck

Ludwig van
Beethoven
Martin Geck

3-499-50645-9